図・解・で・わ・か・る

最新

タイピングが1週間で身につく超簡単本

Windows/macOS/スマホ対応版

佐藤 大翔 & アンカー・プロ 著

秀和システム

●サポートページ案内

本書は、タイピングソフトの収録をいたしませんが、本文中で紹介した厳選タイピングソフトは、各ソフト紹介ページのダウンロードサイトにて入手することができます。

また、以下の本書サポートページでも、本文中で紹介した厳選ソフトへのリンクを貼りましたのでご利用ください。

https://www.shuwasystem.co.jp/support/7980html/6952.html

ローマは1日にして成らず　Rome was not built in a day

コンピューターの基本スキルといえば、間違いなく〝タッチタイピング〟です。モニター画面を見たままで、〝ミスなく、速く、キー入力できると、いいことが多いのです。

学校のテストの時間を思い出してみてください。決められた時間内に答案ができずに悔しい思いをしたことはありませんか。答えはわかっていたのに、急いで書いたために、文字が雑になって、不正解になったことはありませんか。コンピューターで入力した文字は、誰が入力してもきれいで見やすく、入力の速い遅いで、文字のきれいさに差が出ることはありません。だったら、速くキー入力できたほうがいいですよね。

タッチタイピングできるようになると、思考速度にタイピング速度が同期できるようになります。ゆっくりとしかタイピングできないと、その速度に合わせた思考しかできませんが、素早くタイピングできれば、湧き出るアイデアを速記するようにコンピューターに残せます。

文字入力に伴う作業時間が短かくなれば、ほかに時間を割くことができます。同じ作業時間なら、データ入力量に差が出ます。ほかにも有利なことがいっぱいあります。初めての方には漢字入力は難しそうに見えると思いますが、漢字に変換するのはコンピューターです。実際の日本語入力は読みの入力と変換候補の選択操作の繰り返しです。要は〝慣れ〟です。

本書は、コンピューター初心者の方でも、楽しみながら1週間でタッチタイピングがマスターできるようなカリキュラム（5章から10章）になっています。このほか、タブレットやスマホの画面を直接、タップして行う文字入力のトレーニングもします（11章）。巻末には、楽しんでスキルを上げられるウィンドウズ用、マック用だけではなく、タブレット、スマホ用のおすすめタイピングソフトも紹介しています。

タッチタイピングは指と頭のトレーニングです。トレーニングというと、つらくて苦しいことのように思うかもしれませんが、タッチタイピングの場合は、成果が見えやすく、実務に結びつきます。

ローマは一日にして成らず。Rome was not built in a day.

佐藤　大翔　＆　アンカー・プロ

二〇二三年二月

目次

図解でわかる 最新タイピングが1週間で身につく本［Windows/macOS/スマホ対応版］

Typing

第2章 日本語入力編 …… 37

パッーン
Enter

第1章

キーボードの基本編

01 キーボードの役割とは

キーワード
入力装置

キーボードは文字や数字を入力するための入力装置です。メールで手紙を書いたり、ワープロソフトで文書や資料を作成したり、ホームページの掲示板に文章を書いたりするときなどに使います。

そして、タイピングの速さによって、**パソコンでの文書作成などの作業にかかる時間が大幅に変わります。**

キーボードに慣れるには、まずとにかく触れるということが大切です。触れれば触れるほど楽に打ち込むことができるようになります。しかし、基本ができていないとある段階から上達しにくくなります。そのためにも、まずはキーボードの基本をしっかり身に付けましょう。基本から順に学習すれば、さらに上達します。

MEMO ワイヤレスのキーボードやマウスには電池が必要です。

パソコンでのキーボードの役割

パソコンは、大きく分類すると入力装置（キーボードやマウスなど）、出力装置（ディスプレイやプリンタなど）、記憶装置（HDDなど）、中央処理装置（CPU）の４つから成り立っています。

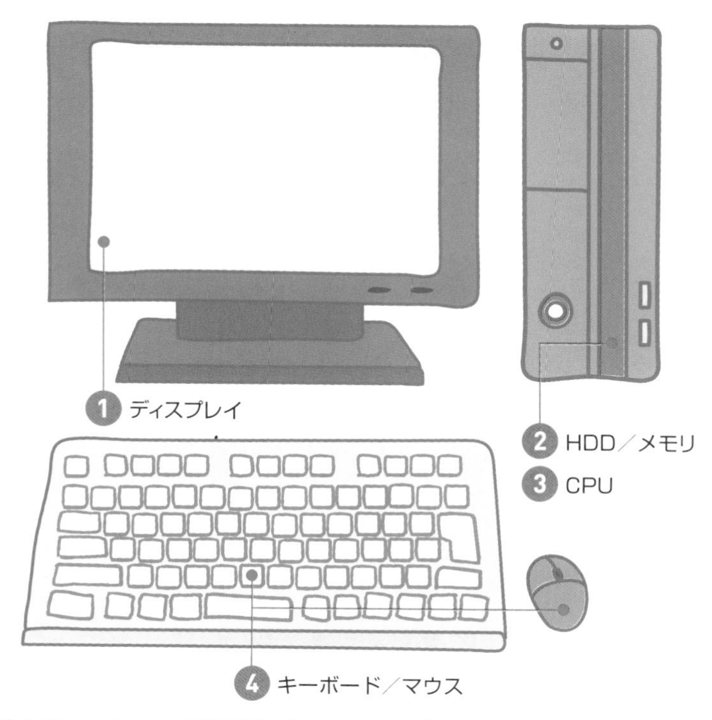

❶	出力装置	ディスプレイ	プリンタなども出力装置になります
❷	記憶装置	HDD	補助記憶装置ともいわれます
		メモリ	主記憶装置ともいわれます
❸	中央処理装置	CPU	データなどの計算や解読を行います
❹	入力装置	キーボード	主に文字入力に使われます
		マウス	主にボタン操作や範囲選択に使います

マウスの役割とは

キーワード
クリック
ドラッグ

マウスは、キーボードと同じ入力装置の一つです。キーボードは文字や数字を入力するのに対し、**マウスは作成した文書ファイルを保存するときや、カーソルの移動、選択したファイルや、ファイルを保存するためのフォルダの移動など、文字入力以外での入力装置**となります。

パソコンでは、マウスとキーボードによってほとんどの操作が行われるといってよいでしょう。例えば、マウスでワープロソフトを起動して、キーボードで文書を打ち込み、最後に書類を保存する操作をマウスで指示するといった流れです。

マウスには左右二つのボタンがあります。**左ボタンを押すことをクリック、続けて2回押すことをダブルクリック、右ボタンを押すことを右クリックといいます。さらに、左ボタンを押したままでマウスを動かすのがドラッグです。**

MEMO ダブルクリックはキーボードのEnterキーと同じです。

マウスの操作方法

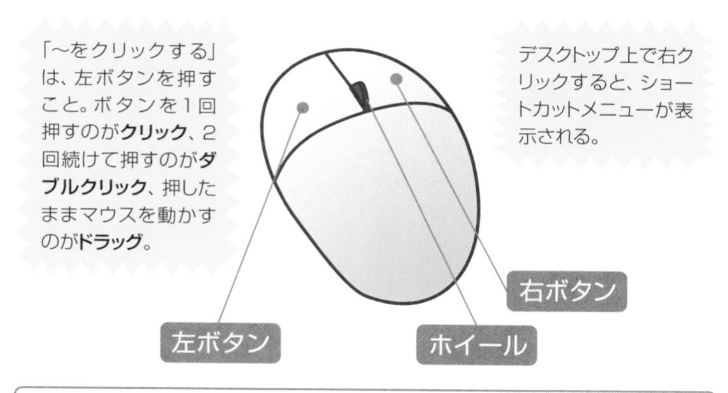

最近のほとんどのマウスは、右ボタンと左ボタンの間にホイールがあります。ホイールの役割は、スクロールバーを上下に移動させたりするときなどに使います。

●左ボタンの基本操作：例

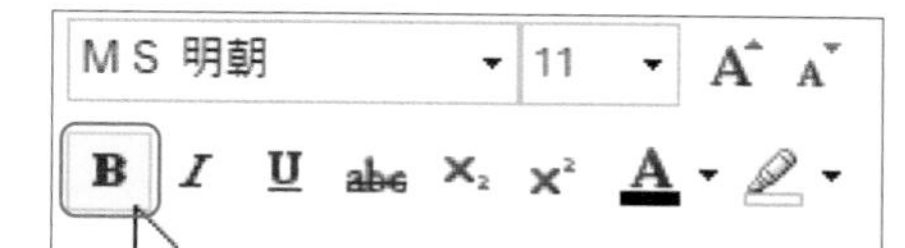

クリック

アイコンやボタンの選択などに使います。

ダブルクリック

ウィンドウを開いたり、アプリケーションを起動するときに使います。

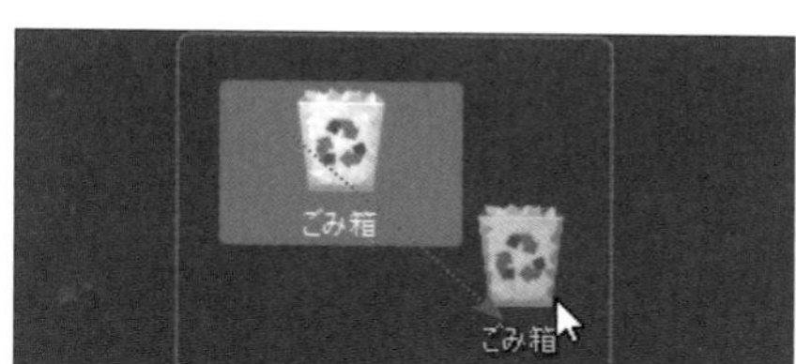

ドラッグ

ファイルやフォルダの移動、ウィンドウの大きさの調整、選択範囲に使います。

Typing

03 キーボードにはいろいろな種類がある

キーワード
JIS規格キーボード

キーボードには、いろいろな種類があります。規格によって、キー配列が違っていたり、特殊なキーが付いていたりします。また、日本語キーボード、英語版キーボード、数字入力専用のキーボード、コードレスのものなどもあります。形や大きさも多種多様です。一般的にキーボードといえば、横長の長方形ですが、人間工学に基づいて作られた曲線型のものなどもあります。

また、デスクトップ型とノートパソコンのキーボードでは少し異なります。**ノートパソコンのキーボードは、デスクトップ型と比べてキーがギッシリ詰め込まれており、文字配列はデスクトップ型とほぼ同じですが、テンキーはありません。現在、一般的なのはJIS（ジス）規格のキーボードです。**本書はこの規格に基づいて説明します。

MEMO キーボードによっては、特殊キーの位置などが違う場合も、文字配列は同じです。

キーボードの種類

●109キーボード（ウィンドウズ）

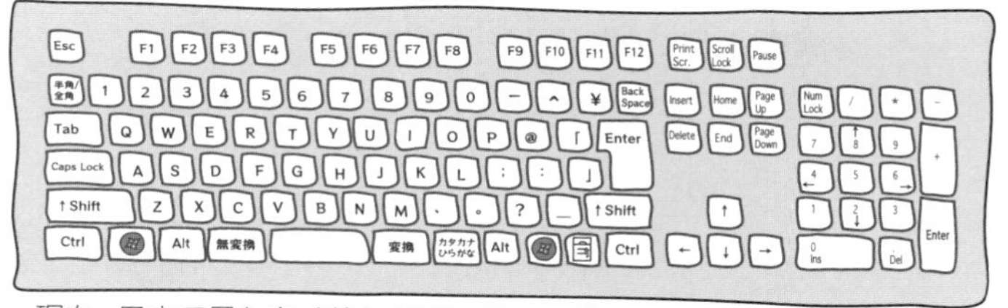

現在、日本で最も多く使われているキーボード。キーが109個あるので**109キーボード**と呼ばれています。

●ノートパソコンキーボード（ウィンドウズ）

デスクトップと比べてキーがギッシリ詰め込まれています。文字配列はデスクトップ型とほぼ同じですが、テンキーがありません。

●マッキントッシュ（Mac）のキーボード

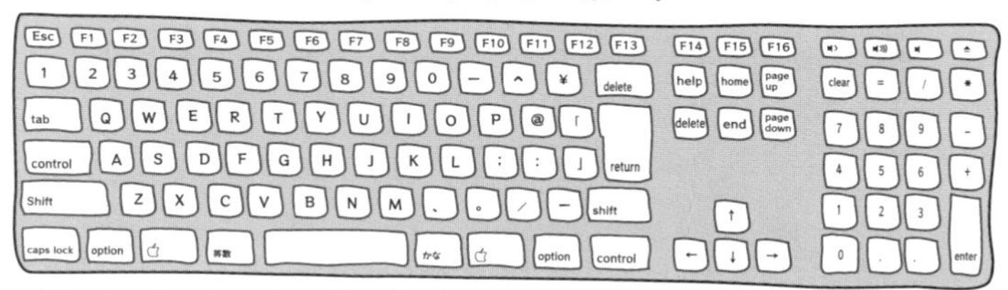

マッキントッシュキーボード。ウィンドウズキーの代わりにアップル（Command）キーがあります。特殊キーの位置が多少違います。

Typing

04

キーボードのキー配列を確認しよう

キーワード
キー配列

キーボードの文字配列は、アルファベットもかな文字もバラバラに並んでいます。この配列は、19世紀のタイプライターの時代に考案されたもので、ほぼそのままの流れで現在に至っています。パソコンによっては、インターネットのブラウザを立ち上げるボタンやメール機能ボタンなどが付いたキーボードもありますが、**キー配列は基本的に世界共通なので、一度覚えさえすれば海外でも使えます。**

速く正確な入力ができるようになるためには、キーボードの配列を知らなければなりません。まずキー配列やその名称を覚えましょう。キーボードの各キーを見てみると、一つのキーの中にアルファベット、ひらなが、数字、記号などがあります。初心者にはいっけん複雑に見えるかもしれませんが、**各キーは役割ごとにまとめて配置されています。**

MEMO キーボードのアルファベットの配列はタイプライターがもとになっています。

キーボードのキー配列構成

1	特殊キー	文字の入力やショートカットキーなどパソコンを操作するためのキーです。文字入力では、特に[Shift]キーとスペースキーが重要です。
2	文字キー	アルファベット、かな、数字、記号を入力するためのキーです。
3	ファンクションキー	特定の機能を実行するためのキーです。アプリケーションによって各キーの機能が異なります。
4	ハードウェアキー	ソフト開発者が機能を割り当てることのできるキーです。通常の作業ではほとんど使用しません。
5	操作キー	文字の挿入や削除、画面のスクロールなどを行うためのキーです。
6	カーソルキー	カーソルを上下左右に移動するためのキーです。
7	テンキー	数字を入力するためのキーです。「NumLock」で入力のオンオフを切り替えます。ノートパソコンにはありません。

Typing

05

文字を入力しない特殊キーとは

キーワード
特殊キー

キーボードには文字を入力しない特殊キーがあります。具体的には、Shift（シフト）キーや［ ］（スペース）キーなどです。**特殊キーは文字キーを囲むように配列されています。**

特殊キーの機能は、キートップに印されている文字を見れば推測できます。例えば、変換キーなら、ひらがなを漢字に変換します。ＰＣ用キーボードのその他の特殊キーの名称や機能は次ページの表を見てください。

特殊キーも文字キーと同じで、触れて慣れることが大事です。とりあえず、どの位置にあるかは、実際にキーボードに触れて確認しておきましょう。

MEMO キーに印されている文字や記号などを含めてキーの上部を**キートップ**といいます。

キートップ	名称	内容
ESC	エスケープキー	直前の操作を取り消すことができます。
半角/全角	漢字キー	日本語入力に切り替えます。
Tab	タブキー	カーソルをタブ位置まで移動させます。
Caps Lock	キャップスロックキー	英字の大文字と小文字を切り替えます。
Shift	シフトキー	文字キーと組み合わせて押すことで、文字キーの上段の文字を入力できます。
Ctrl	コントロールキー	他のキーと組み合わせて機能を実行できます。
	ウィンドウズキー	ウィンドウズのスタートメニューを表示できます。
Alt	オルタネートキー	他のキーと組み合わせて機能を実行できます。
無変換	無変換キー	ひらがな、カタカナ、半角カタカナに切り替えます。
	スペースキー	スペースの入力、文字の変換をします。
変換	変換キー	ひらがなを漢字やカタカナ、記号に変換します。
カタカナ ひらがな	カタカナひらがなキー	文字をカタカナ、ひらがなに変換します。
	アプリケーションキー	マウスの右クリックと同じ動作になります。
Enter	エンターキー	文字入力変換の確定、改行などができます。
Back space	バックスペースキー	カーソルの左の文字を削除できます。

Typing

06

ホームポジションとは

キーワード
ホーム
ポジション

ホームポジションとは、キーボードで文字や数字を打ち込むために最初に置く両手の指の位置のことです。例えば、あるキーを押し終えたら、このホームポジションに両手の指を戻します。指をホームポジションに戻すことで、タイピングをより効率良くするわけです。両手の各指には、キー配列の担当地区が決まっており、その担当以外のキーは打たないようにします。

ホームポジションは、左手の小指が「A（ち）」、薬指が「S（と）」、中指が「D（し）」、人指し指が「F（は）」、右手は人指し指が「J（ま）」、中指が「K（の）」、薬指が「L（り）」、小指が「；（れ）」です。ローマ字で続けてみると、「ASDFJKL；」となります。

MEMO ホームポジションをかなで入力すると、「ちとしは まのりれ」になります。

ホームポジションの位置

ホームポジションは各指を定位置に戻すことで、作業の能率を大幅にアップします。繰り返し練習することが大切です。

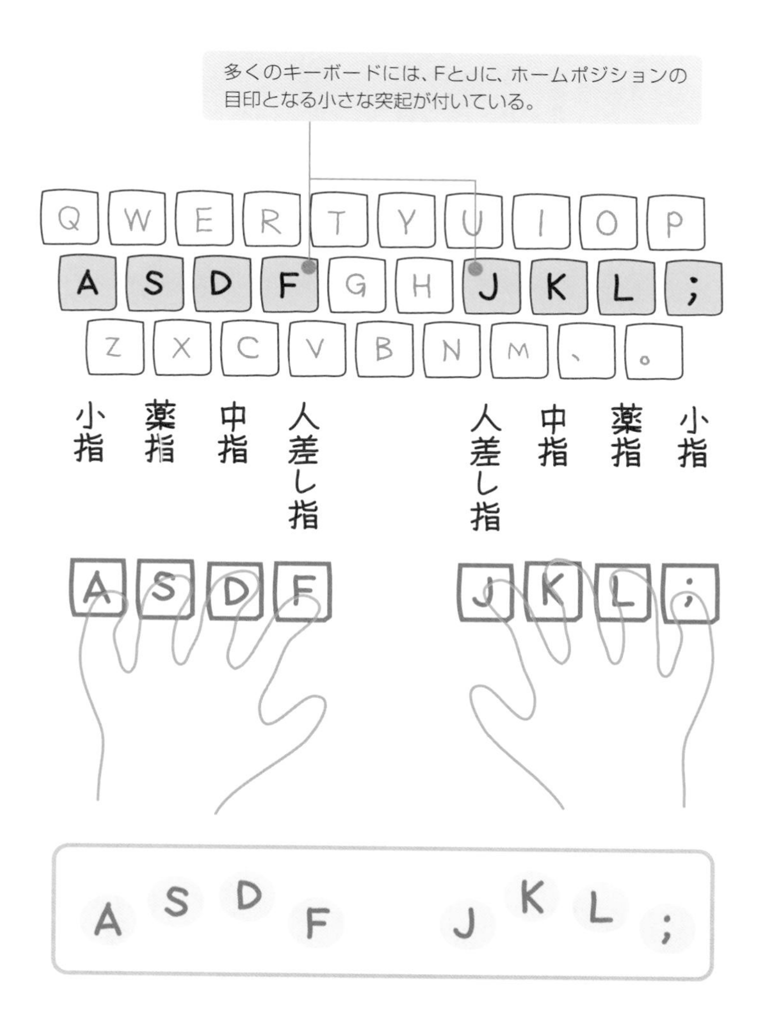

07 正しい姿勢でタイピングの効率を上げる

キーワード
正しい姿勢

パソコンでの長時間の作業は肩こりや腱鞘炎、ドライアイなどの様々なトラブルを招きます。そうならないためにも、キーボードは正しい姿勢で操作する必要があります。

まず、モニターと目の距離は、近付きすぎないように40～60センチぐらいがよいでしょう。**腕は、両手をホームポジションに置いたときに、ひじの角度が約90度になるようにします**。角度の調節はデスクとイスの高さで行います。またホームポジションに指を置いたとき、手首が浮くようであれば、キーボードの高さを調節します。足が床にきちんとつくようにデスクとイスの高さを調節します。

正しい姿勢を身に付ければ、疲れずにタイピングがスピードアップします。

MEMO 自然な姿勢で、楽な気持ちでキーボードに向かうのが基本です。

キーボード操作の正しい姿勢

姿勢によって身体の疲れが大きく変わります。また部屋やディスプレイの明るさも調節して、目に負担をかけないようにしましょう。

08 指の役割分担を知ろう

キーワード
10本指打法

初心者では、キーの位置がわからなくて、1本指をうろうろさせながら探すなんてことも見受けられます。しかし、これではなかなか上達できません。

1章06節では、ホームポジションの位置を確認しました。では、具体的に両手の各指がどのキーを担当するかを見てみましょう。

特殊キーを除くと、入力キーは約50個になります。これを10本の指で押すわけですから、指1本あたりの担当地区の平均は約5個になります。

ホームポジションに両手の各指を置いて、キーを入力したら、またホームポジションに指を戻すのがポイントです。この繰り返しが上達の第一歩です。

キーボード操作では、両手の各指すべてを使うということだけ覚えておきましょう。

MEMO 両手指をすべて使ってタイピングすることを、**10本指打法**ともいいます。

10本指の役割分担

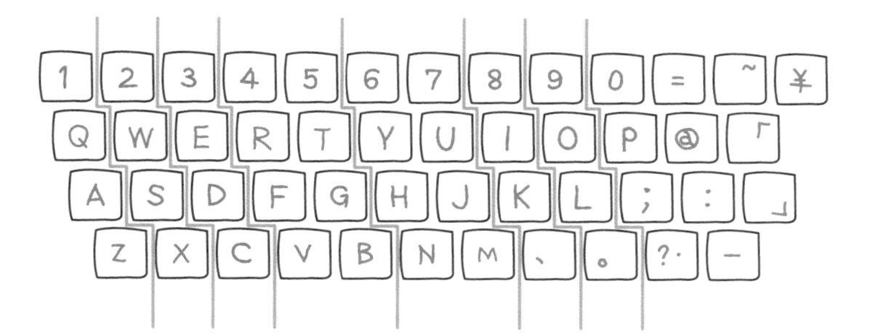

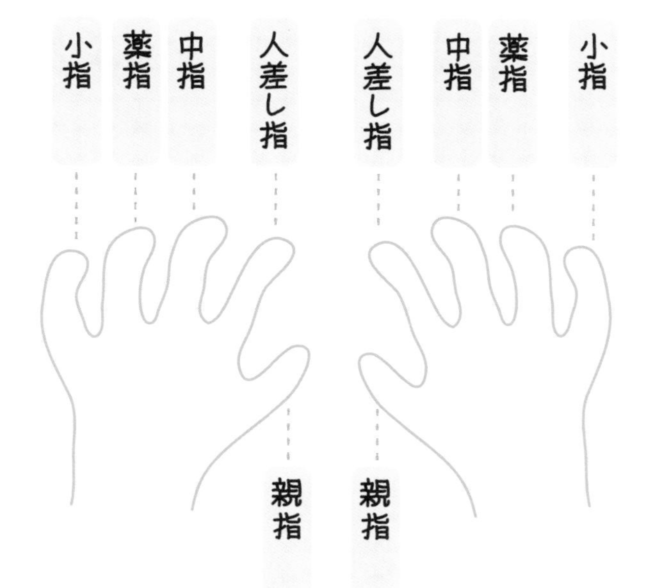

親指は、スペースキーなど特殊キーを押すときに使います。通常は、スペースキーの上に軽く触れるぐらいにします。

Typing

09 タッチタイピングのメリットとは

キーワード
タッチタイピング

キーボードを見ないで画面上の文字を追いながらキーを打ち込むことを、タッチタイピング（ブラインドタッチともいわれた）といいます。ホームポジションを覚えて、両手各指の役割分担に慣れてくるとキーボードを見ないで打てるようになります。パソコンでの作業時間が大幅に短縮でき、また、文字入力操作がもたつかないことで、パソコンに対するストレスもかなり減少します。

タッチタイピングをマスターするには、まず**キーボードを見ないで入力するということが重要です。**はじめは、ホームポジションからキーを見ないで打ってみて、間違っていればキー配列を確認します。第3章からタッチタイピングへの実践トレーニングがありますので、ここでは、タッチタイピングの原則を確認しておきましょう。

MEMO 眼の不自由な人に配慮して、ブラインドタッチとはいわなくなりました。

タッチタイピング上達の原則とその効果

タッチタイピングができるようになると、パソコンの世界が一気に広がります。メール入力やチャットなど違和感なくできれば、パソコンがもっと楽しくなるでしょう。

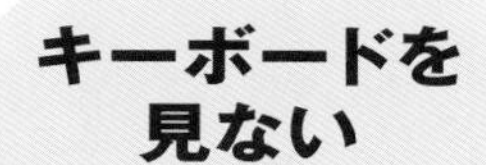

日本語を入力するには

キーワード
日本語入力システム

日本語を入力するには、**日本語入力システムという、日本語に変換するためのソフトが必要です。**もともとキーボードは海外でつくられたものなので、日本語に変換する必要があったわけです。日本語を入力するということは、読みがなをまず打って、漢字やカタカナなどに変換する作業です。

日本語入力システムは、パソコンの基本ソフト（ＯＳ）やワープロソフトに付属しています。**ウィンドウズでは、ＭＳ-ＩＭＥが標準搭載されています。**日本語入力システムは、ワープロソフトなど日本語を入力したいときにオンにします。オンにしないと、キーボードからはアルファベットと数字しか押せないことになります。また、ＭＳ-ＩＭＥ以外の日本語入力ソフトには、ＡＴＯＫ（エートック）などがあります。

MEMO macOSの日本語入力システムは「日本語IM」と呼ばれます。

MS-IME

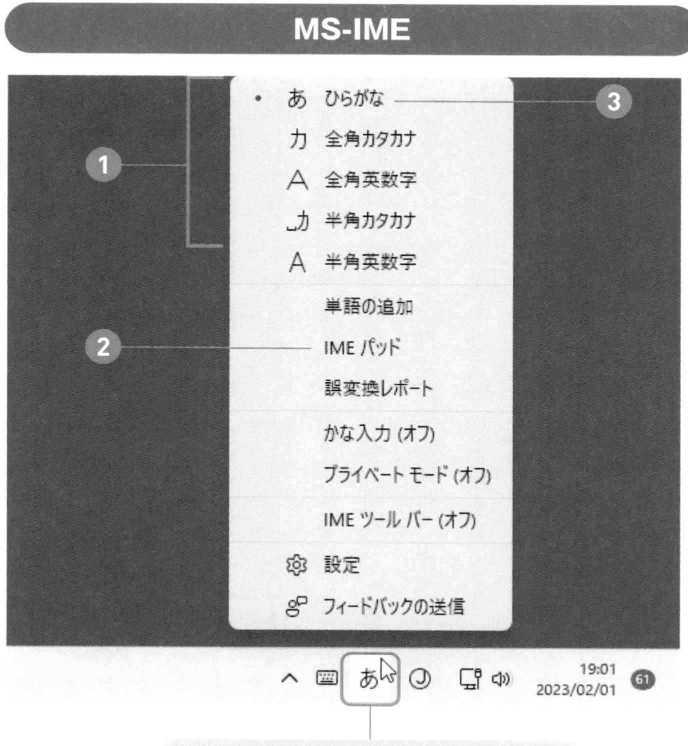

Windowsデスクトップのタスクバーの入力モードアイコンを右クリックする（あかな入力モード、A半角英数字入力モードなど）

❶	入力モード	現在の入力モードを表示します。「ひらがな」「全角カタカナ」「全角英数」「半角カタカナ」「半角英数字」に切り替えられる。
❷	IMEパッド	読み方がわからない漢字や記号を入力したいときに使います。「手書き」「総画数」「部首」などの入力方法が使える。
❸	ひらがな	かな入力モードに切り替えるときはオンにする。

「ローマ字入力」と「かな入力」の違いは

キーワード
ローマ字入力

文字の入力方法には、ローマ字入力とかな入力があります。

例えば、ローマ字入力では、H A R U と押すと画面上に「はる」と入力され、それを「春」に変換させます。かな入力では は る とかなを押すと、そのとおり画面に反映され、ローマ字入力と同じように漢字に変換できます。

ローマ字入力は、キーを押す回数が増えてタイピングが遅くなるように思えますが、かな入力と比べて大きなメリットがあります。ローマ字入力はアルファベットのわずか26個のキーの組み合わせなので覚えやすいのです。

一方、かな入力は48個で、文字キーの範囲も広いので、マスターするのに非常に労力を費やします。インターネットが普及し、英文入力などローマ字を使う機会も多いので、ローマ字入力がおすすめです。

MEMO 本書はローマ字入力に基づいて解説しています。

ローマ字入力とかな入力の特徴

ローマ字入力の場合

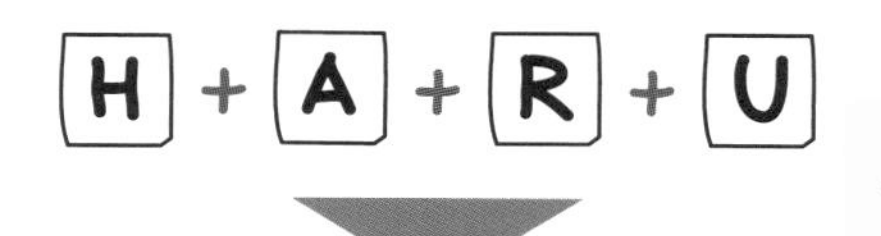

★メリット
覚えるキーが少ない
全世界共通

★デメリット
かな入力に比べて
入力回数が多い

かな入力の場合

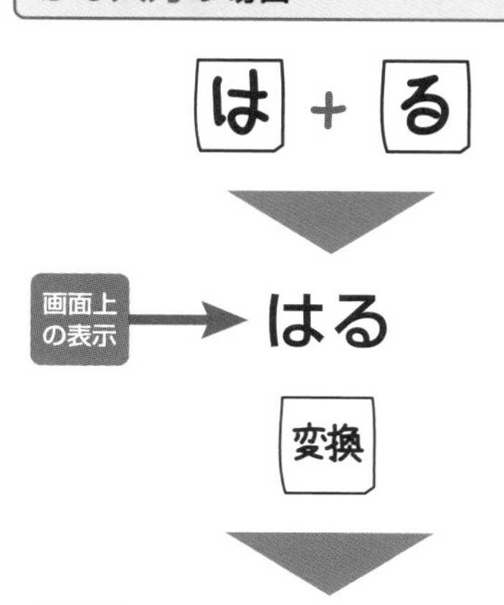

画面上の表示　春

★メリット
入力回数が少ない

★デメリット
覚えるキーが多い

COLUMN●日本語入力、MacとPCの違いは

Apple社製のMacintosh（Mac）で文字入力を行うのも、WindowsPCと基本は同じで、キーボードから日本語の読みを入力し、日本語入力システム（日本語IM）の力を借りて漢字などに変換します。違いは、日本語入力システムと特殊キーの種類や位置くらいです。

確かにWindowsPCとMacとでは、キーボードは少しだけ違いますが、文書入力に限れば、ほとんど戸惑うことはありません。基本となる文字キーの配列は同じです。したがって、左右の指を置くホームポジションも変わらず、10本指打法でのタイピングができます。

●Macの特殊キーの名称と内容

キートップ	ショートカット記号	名称	内容
control	^	コントロールキー	ショートカットキーの補助キーなどに使用。
Shift	⇧	シフトキー	アルファベットの小文字と大文字の切り替えなどに使用。
Alt option	⌥	オプションキー	ショートカットキーの補助キーなどに使用。
⌘	⌘	コマンドキー	PCのCtrlキーに相当。例えば、Ctrl+Cキー（PC）のショートカットキーは⌘+C（Mac）。
英数		英数キー	半角英数入力に切り替える。
かな		かなキー	かな入力に切り替える。
delete		削除キー	カーソルの直前（左）の1文字を削除（PCのBack spaceに相当）。
return		リターンキー	PCのEnterキーに相当。

第2章
日本語入力編

01 ワープロソフトを起動するには

キーワード
ワードパッド

パソコンはどの画面でも、キーボードで入力できるというわけではありません。キーボードで入力できるものとできないものがあるのです。基本的に**キーボードで入力できるものには、カーソルという黒い罫線が画面上に点滅して表示されます。**例として、ここではまず、「ワードパッド」を起動することからはじめます。

パソコンの電源を入れ、ウィンドウズを起動したら、スタートメニューを開き、検索ボックスに「wordpad」と入力します。「ワードパッド」が検索されたら、「ワードパッド」アプリをクリックします。「ワードパッド」が起動すると、デスクトップ画面上に文字の書かれていない空白のウィンドウが表示され、黒い罫線のカーソルが点滅します。

MEMO ワードパッドやWordなど文書を作成するソフトをまとめて「ワープロソフト」といいます。

ワードパッドの起動方法

01

スタートメニューを開く

02

キーボードから「w」を入力すると、アプリ検索が始まる。続けて「ordpad」と入力すると「ワードパッド」アプリが一番上に表示される。これをクリックする

03

画面上に［ワードパッド］が起動する
（本書は、Windows 11を基本OSとしています）

起動したワードパッドのタスクバーアイコンを右クリックして「タスクバーにピン留めする」を選択すれば、終了してもタスクバーに起動用のアイコンが残るようになります。

Typing

02

日本語入力システムを起動するには

キーワード
IME

「ワードパッド」が起動したら、さっそく入力といきたいところですが、その前に、日本語入力システムを起動する必要があります。画面右下に表示されている「MS-IMEアイコン」を見てください。**日本語入力システムがオンになっている場合は、MS-IMEアイコンが「あ」と表示されます。オフの場合は、「A」と表示されます。**オフの場合は、日本語が入力できないので、英数字しか入力できません。パソコン起動直後は「A」となっています。

日本語入力システムをオンにするには、キーボードの半角/全角キーを押します。また、ワードや一太郎など、日本語入力システムが自動的にオンになるソフトもあります。半角/全角キーを押しても日本語入力システムがオンにできないときは、章末のコラムを参照してください。

MEMO 「あ」の表示は正確には「ひらがな」モード、「A」は「半角英数」モードのことです。

日本語入力システムの起動

現在の日本語入力モードの状態（MS-IMEアイコン）は、タスクバーの右の方に表示されます。日本語入力のための読みがな入力ができるのは、表示が「あ」の「ひらがな入力モード」です。一般的な109キーボードとマウスを使っていて、ひらがな入力モードへの切り替え方法には次のようなものがあります（キーボードの種類によって動作が異なることがあります）。

操作方法	説明
半角/全角 キーを押す	前バージョンのショートカットキー。 Windows 11でも使用可能。
Ctrl ＋ 　 キーを押す	ショートカットキーの割り当て候補として 一般的に利用される。
変換 キーを押す	一般的には文字編集モードでは 再変換キーとしてはたらく。
無変換 キーを押す	一般的には「あ」→「カ」→「ｶ」を 切り替える。
あ A アイコンをクリック	「あ」（ひらがな入力モード）⇔ 「A」（半角英数字モード）を切り替える。
あ A アイコンを右クリック	メニューが開くので他の入力モード （全角カタカナ）などに切り替える。

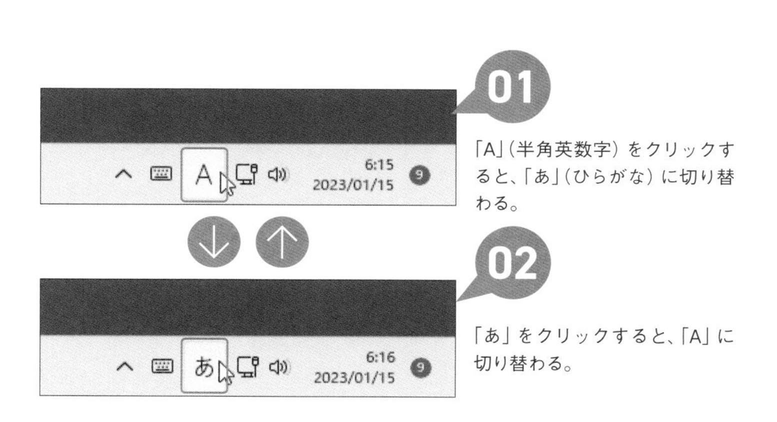

「A」（半角英数字）をクリックすると、「あ」（ひらがな）に切り替わる。

「あ」をクリックすると、「A」に切り替わる。

Typing

03 「ローマ字入力」と「かな入力」の切り替え方法

キーワード
[Alt] キー

ローマ字入力とかな入力は、次の方法によって切り替えることができます。マウスで切り替える場合は、**IME入力モードアイコンを右クリックして、「ローマ字入力／かな入力」をオンにします。**また、IME［プロパティ］の［詳細設定］からでも切り替えることができます。

キーボードで切り替える場合は、日本語入力システムが起動している状態で、Alt **キーを押しながら** カタカナひらがな **キーを押します。**ただし、Windows 11の初期設定では、かな入力は無効になっていて、この方法では切り替えられません。ショートカットキーを有効にするには、左ページを見て設定を変更してください。

MEMO　プロパティとは、OSの特定の機能に関する設定情報のことです。

ローマ字入力とかな入力の切り替え方法

●MS-IMEアイコンから切り替える

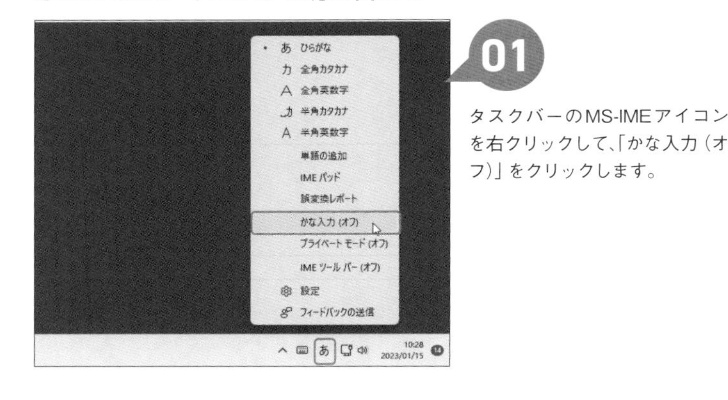

タスクバーのMS-IMEアイコンを右クリックして、「かな入力（オフ）」をクリックします。

●ショートカットキーで切り替える

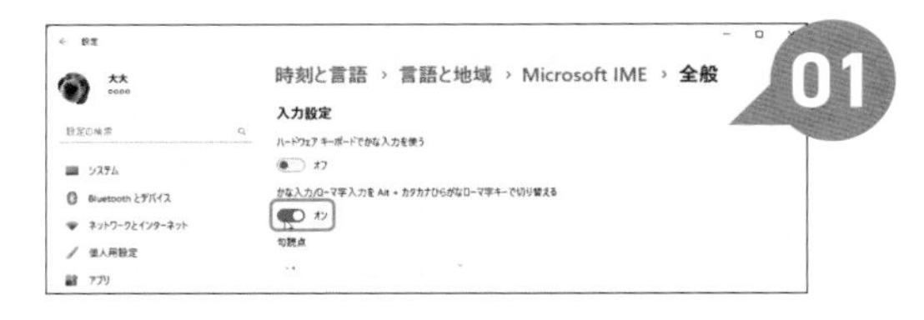

ローマ字入力とかな入力を切り替えるショートカットキーは、「Alt＋カタカナひらがな」キーです。
このショートカットキーには、最新バージョンのMS-IMEでは初期設定で無効になっています。ショートカットキーを有効にするには、次のようにして設定パネルを変更します。

❶タスクバーのMS-IMEアイコンを右クリックして[設定]を選択し、[全般]をクリックします。
❷「入力設定」欄の「かな入力/ローマ字入力をAlt+カタカナひらがなローマ字キーで切り替える」を「オン」にします。

Typing

入力の確定と改行をするには

キーワード
確定
改行

ローマ字入力では、日本語は、母音の「あいうえお」と「ん」以外、すべて子音と母音の組み合わせで入力することができます。

では、まずワードパッドを起動し、日本語入力システムをオンにして、「あさ」と入力してみましょう。「あ」は母音ですので、ローマ字の[A]を押します。「さ」は子音と母音の組み合わせで、[S][A]と押します。すると、ワードパッドには、ひらがなで「あさ」と表示され、その下に波線がある状態になります。これは、まだ文字が決まっていないという意味で、次の操作を待っている状態です。ここでは、**確定を伝えるボタンの[Enter]キーを押します。**すると、点線は消えて「あさ」と入力されます。ここでさらに、[Enter]キーを押すと改行されます。要するに、**[Enter]キーには、確定と改行の二つの役割があるのです。**

MEMO [Enter] キーはキーボードによって、[return] キーと表記されているものもあります。

01

[ワードパッド]を起動して、日本語入力システムをオンにする。カーソルが点滅している

02

[A] [S] [A] と押すと、ひらがなの「あさ」の下に波線ができる。入力した読みがなの下（または上）に表示される黒色の四角は、予測入力ウィンドウです。（3章末Column参照）

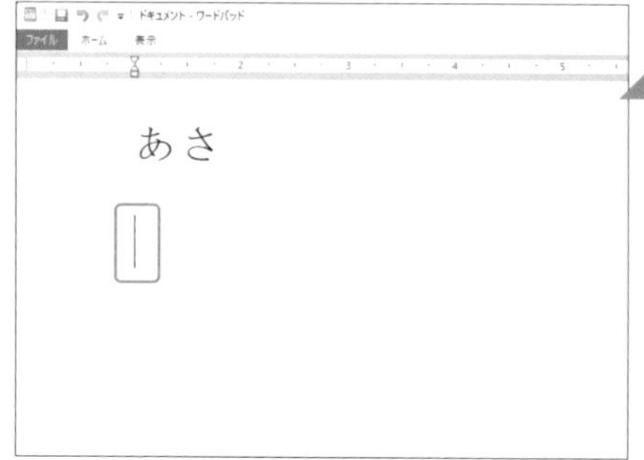

03

[Enter] キーを押すと、波線がなくなって文字が確定する。続けて [Enter] キーを押すと改行される

漢字やカタカナを入力するには

漢字やカタカナの入力は、**ひらがなを入力してから、確定ボタンの Enter キーを押す前に、特殊キーの 変換 キー、または ␣（スペース）キーを押して、変換したい漢字やカタカナを選択して Enter キーを押します。**

例えば、ひらがなの「あさ」と入力し、␣（スペース）キーを押すと「浅」と表示されます。さらに ␣（スペース）キーを押すと、変換候補の一覧が表示されます。ここで、さらに ␣（スペース）キーを押せば一覧の下のほうに変換候補が移動します。変換したい正しい漢字を選択して、Enter キーを押して確定するだけです。

日本語入力システムは、学習機能があるのでユーザーが同じ単語を使えば使うほど、変換候補の上位に表示されるようになります。

キーワード
［変換］キー

MEMO
［無変換］キーを押すと、入力した読みがひらがな、カタカナ、半角カタカナの順に切り替わります。

漢字やカタカナの入力方法

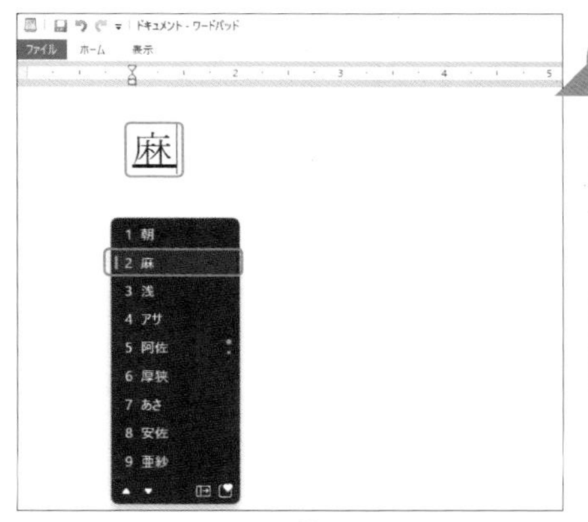

01

「あさ」と入力し、[スペース] または [変換] キーを2回押すと、一覧が表示される

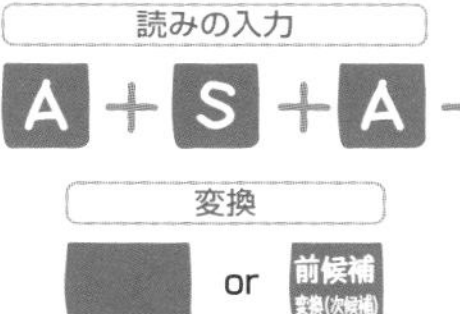

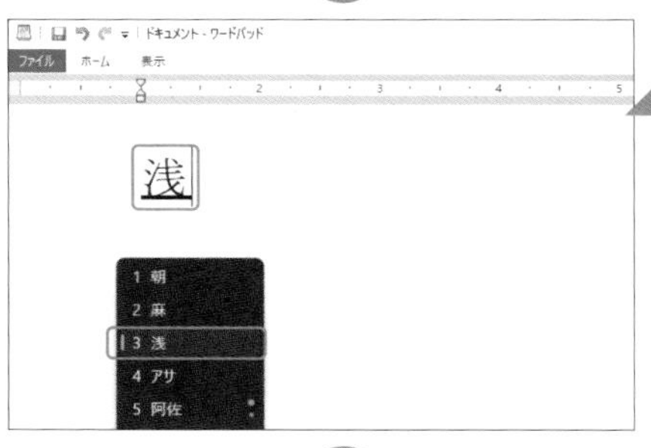

02

変換したい漢字を、矢印キーかマウスで選択する（ここでは、文字キー [3] を押して候補から選択することも可能）

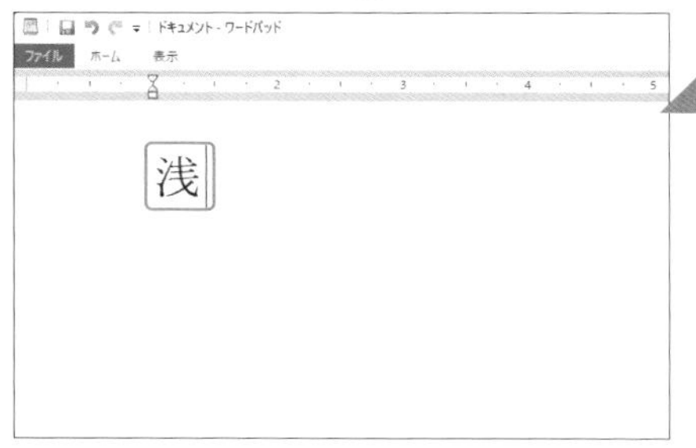

03

[Enter] キーで確定すると、カーソルの波線が消える

確定

Enter

文字を削除するには

確定した文字を1文字ずつ削除するには[Back space]キー、もしくは[Delete]キーを押します。**カーソルから左にある文字を削除する場合は、[Back space]キーで、カーソルから右にある文字を削除する場合は[Delete]キーを押します。**1回押すと1文字削除され、2回押すと2文字削除されます。押しっぱなしにすると連続して文字が削除されます。**未変換の文字を全部削除したい場合は、[ESC]キーを押します。**押すと未変換の部分だけが削除されます。またマウスで削除したい部分を選択して一気に削除することもできます。削除したい部分をドラッグすると黒アミの白文字になるので、[Back space]キーを押します。この方法は、確定している文字を削除するときに使います。

キーワード
[Back Space]キー

MEMO
[Back Space] キーは [BS] と表記されているものもあります。マッキントッシュでは [Back Space] キーがありません。

文字の削除

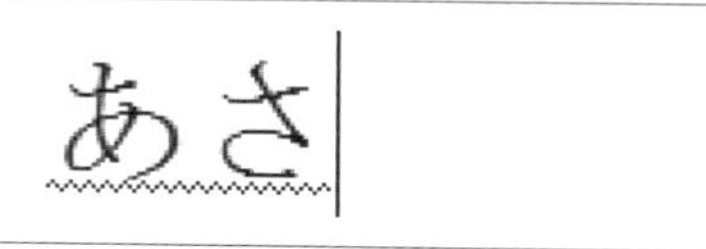

Back space [Back Space]

確定未確定にかかわらず、入力直後のカーソルの前（左）の文字が削除される（1回押して、「さ」を削除）

Back space

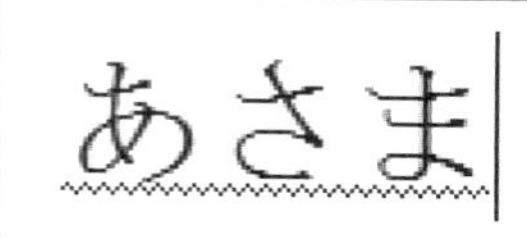

ESC [Esc]

未変換の場合、全部削除される

ESC

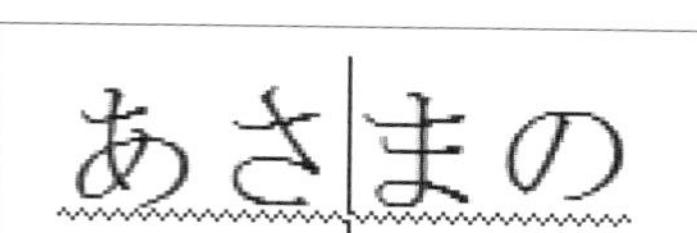

Delete [Delete]

カーソルの直後（右）にある文字を削除することができる（ここでは、1回押して「ま」を削除）

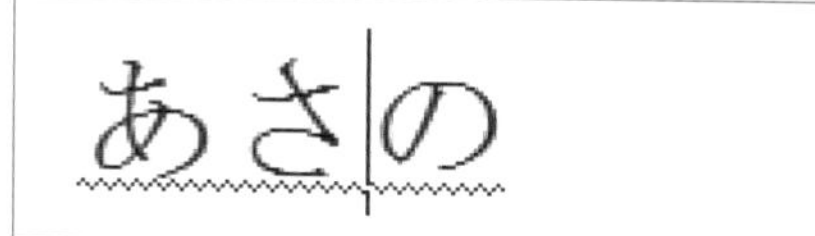

Delate

「あ」行、「か」行、「さ」行を入力するには

キーワード
「あ」〜「そ」

ローマ字入力では、「あ」行の文字は、母音だけで入力します。要するに、「あ」「い」「う」「え」「お」は、AIUEOとすべて一文字で入力できます。

「か」行は、子音のKと母音のAIUEO組み合わせで入力します。「か」なら、KAで「か」となります。

「さ」行は、子音Sと母音AIUEOの組み合わせで入力します。「さ」なら、SAで「さ」となります。同様に、「し」はSI、「す」はSU、「せ」はSE、「そ」はSOと入力します。**ヘボン式では、「し」を「SHI」と表記しますので、SHIと入力しても「し」を表すことができます。**ローマ字入力はすべてヘボン式に対応しています。

MEMO ローマ字には「ヘボン式」と「訓令式」の2種類があります。

「あ」行・「か」行・「さ」行

あ行

A	あ
I	い
U	う
E	え
O	お

か行

K	A	か
K	I	き
K	U	く
K	E	け
K	O	こ

さ行

S	A	さ
S (SH)	I	し
S	U	す
S	E	せ
S	O	そ

か行の「き」（KI）の入力は右手の中指の連打です。

また、SHAまたはSYAで「しゃ」。「きゅ」はKYU。「きょ」はKYOとなります。

Typing

08

「た」行～「わ」を入力するには

キーワード
「た」～「わ」

「た」行は、子音のTと母音AIUEOの組み合わせで入力します。「た」なら、TAで「た」となります。同様に、「ち」はTI、「つ」はTU、「て」はTE、「と」はTOと入力します。**「ち」はヘボン式のCHI、「つ」はTSUでも入力できます。**

「な」行は、子音Nと母音の組み合わせ、「は」行は子音Hと母音の組み合わせ、「ま行」は子音Mと母音の組み合わせ、「や」行は子音Yと母音AUOとの組み合わせで入力します。「は」行の「ふ」は、HU、FUのどちらでも入力できます。「わ」は子音Wと母音Aの組み合わせで入力します。

MEMO ローマ字入力は、基本的に母音以外は、すべて子音と母音の組み合わせで成り立っています。

「た」行〜「わ」

た行	な行	は行	ま行	や行	ら行	わ行
た	な	は	ま	や	ら	わ
TA	NA	HA	MA	YA	RA	WA
ち	に	ひ	み		り	
TI (CHI)	NI	HI	MI		RI	
つ	ね	ふ	む	ゆ	る	
TU (TSU)	NU	HU (FU)	MU	YU	RU	
て	ね	へ	め		れ	
TE	NE	HE	ME		RE	
と	の	ほ	も	よ	ろ	
TO	NO	HO	MO	YO	RO	

「む」(MU) の入力は右手の人差し指の連打です。難しい入力の1つです。

09 「を」「ん」と音引き「ー」を入力するには

キーワード
音引き

「を」は、「わ」行にあたるので、子音 W と母音 O の組み合わせで入力します。「ん」は、子音 N N を2回続けて入力します。1回しか押さないと、「N」（エヌ）となってしまいます。ミスしやすい文字の一つです。

「ー」は、「コンピュータ」や「ゲーム」などの単語に含まれる**音引き**（**長音**）の意味を表す文字です。**「ー」は、上段数字の0キーの右隣りにある ほ を押すと、入力することができます。**「ー」は文字のキー配列より少し離れているので、はじめは押しにくいかもしれませんが、慣れれば違和感なく押せるようになります。

MEMO 長音は、全角と半角の違いもありますので気を付けましょう。

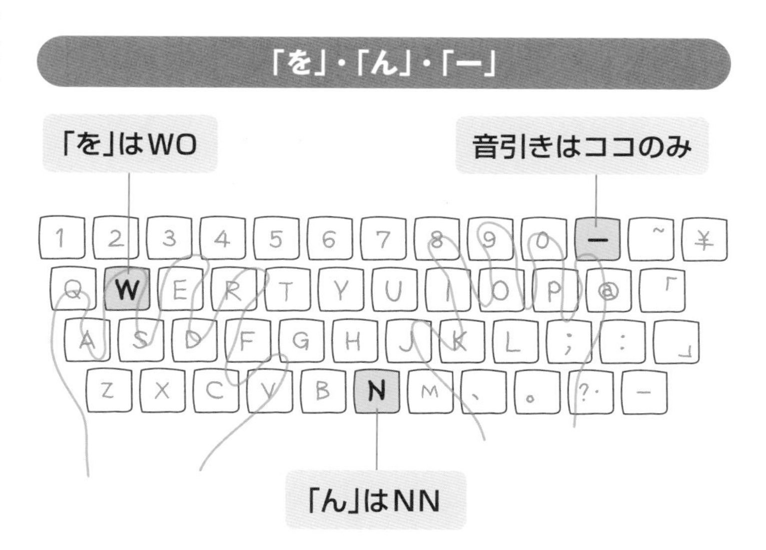
「を」・「ん」・「ー」
「を」はWO
音引きはココのみ
「ん」はNN

音引き「ー」を入力するときの注意
「ー」と似たキーもありますが、音引き「ー」は上段の１箇所のみです。

「が」行、「ざ」行、「だ」行を入力するには

キーワード
濁音

「が」行など濁音の付いた文字の入力は、濁音が付かない文字の入力と同様に、子音と母音の組み合わせで入力します。

「が」行は、子音Gと母音AIUEOの組み合わせで入力します。「が」なら、GAで「が」となります。「ぎ」はGI、「ぐ」はGU、「げ」はGE、「ご」はGOと入力します。

「ざ」行は、子音Zと母音AIUEOの組み合わせで入力します。「じ」はZIでもJIでも入力できます。

「だ」行は、子音Dと母音AIUEOの組み合わせで入力します。

「ず」➡「ZU」と「づ」➡「DU」の使い分けに注意しましょう。

「が」行・「ざ」行・「だ」行

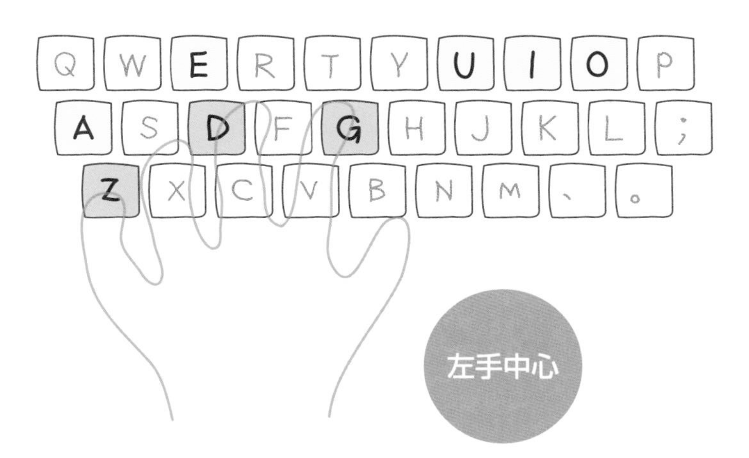

が行

G	A	が
G	I	ぎ
G	U	ぐ
G	E	げ
G	O	ご

ざ行

Z	A	ざ
Z (J)	I	じ
Z	U	ず
Z	E	ぜ
Z	O	ぞ

だ行

D	A	だ
D	I	ぢ
D	U	づ
D	E	で
D	O	ど

「が」行、「ざ」行、「だ」行は左手中心に使います。JAは「じゃ」となります。

Typing

11

「ば」行、「ぱ」行を入力するには

キーワード
半濁音

「ば」行も濁音なので、子音と母音の組み合わせで入力します。子音B と母音A I U E O の組み合わせになります。「ば」ならB A、同様に「び」はB I、「ぶ」はB U、「べ」はB E、「ぼ」はB O と入力します。

半濁音である「ぱ」行も同様に、子音と母音の組み合わせで入力します。子音P と母音A I U E O の組み合わせになります。「ぱ」ならP A、同様に「ぴ」はP I、「ぷ」はP U、「ぺ」はP E、「ぽ」はP O と入力します。

MEMO 濁音、半濁音も、すべて通常のローマ字入力です。

「ば」行・「ぱ」行

ば行

B	A	ば
B	I	び
B	U	ぶ
B	E	べ
B	O	ぼ

ぱ行

P	A	ぱ
P	I	ぴ
P	U	ぷ
P	E	ぺ
P	O	ぽ

「ぱ」行の「P」は右手小指です。右手小指はローマ字入力においてよく使います。

促音を入力するには

キーワード
促音

促音（そくおん）「っ」を入力するには、三通りの方法があります。

一つ目は、**促音のあとにその単語に応じた子音を2回続けて入力する方法です。**例えば、「きっぷ」なら、[K][I][P][P][U]と[P]を2回連続で入力します。

二つ目は、[X][T][U]、**もしくは**[L][T][U]、[L][T][S][U]**と入力する方法です。**「つ」は[T][U]か[T][S][U]と入力しますが、その前に[X]か[L]を付けると促音「っ」になります。

三つ目は、**母音以外の子音を2回押して、母音を押してから余った字を削除するという方法です。**例えば、[K][K][A]と入力すると「っか」となりますので、余った部分である「か」を削除するわけです。この方法は直感的に使えます。

MEMO 設定によっては、「ＬＴＵ」「ＬＴＳＵ」と入力しても「っ」が入力されない場合もあります。

促音

Xは基本的に促音「っ」を入力するときに使います。

	XTUで入力する方法（LTUまたはLTSUでも可）	促音直後の子音を2種類続けて入力する方法
っ	XTU	
あっ	AXTU	
きっぷ	KIXTUPU	KIPPU
いっしゅうかん	IXTUSYUUKAN	ISSYUUKANN
なっぱ	NAXTUPA	NAPPA

13 Typing

拗音を入力するには

キーワード
拗音

小文字の「ゃ」「ゅ」「ょ」などの拗音（ようおん）は、単独の単語ではないので基本的に子音との組み合わせで入力します。「ぎゃ」なら、G Y A、同様に「ぎゅ」はG Y U、「ぎょ」はG Y Oになります。例えば、「きょく」なら、「KYOKU」と入力します。

「ゃ」「ゅ」「ょ」を単独の文字で入力するには、子音X Yもしくは L Yと母音の組み合わせで入力します。「ゃ」はX Y A、「ゅ」はX Y U、「ょ」はX Y Oと入力します。

小文字の「ぁ」「ぃ」「ぅ」「ぇ」「ぉ」を単独の文字で入力するには、Xもしくは「L」と母音の組み合わせで入力します。「ぁ」はX A、「ぃ」はX I、「ぅ」はX U、「ぇ」はX E、「ぉ」はX Oと入力します。

MEMO 拗音は「X」を使うと覚えておきましょう。

拗音

拗音単独での入力

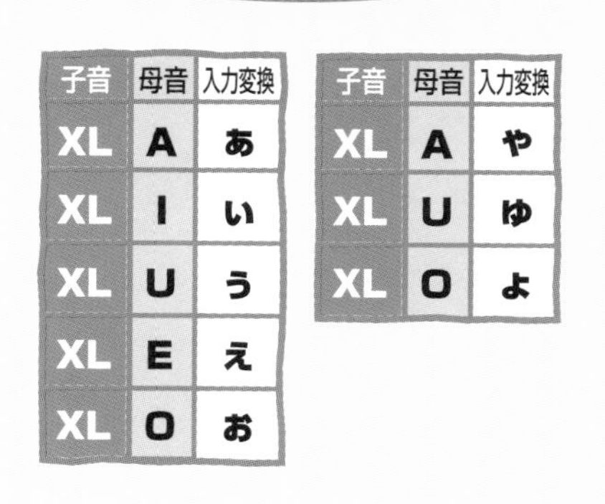

子音	母音	入力変換
XL	A	あ
XL	I	い
XL	U	う
XL	E	え
XL	O	お

子音	母音	入力変換
XL	A	や
XL	U	ゆ
XL	O	よ

ぎゃ行

GY	A	ぎゃ
GY	I	ぎぃ
GY	U	ぎゅ
GY	E	ぎぇ
GY	O	ぎょ

ひゃ行

HYA	ひゃ
HYU	ひゅ
HYO	ひょ

きゃ行

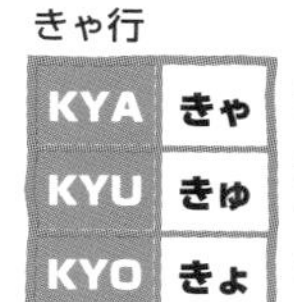

KYA	きゃ
KYU	きゅ
KYO	きょ

しゃ行

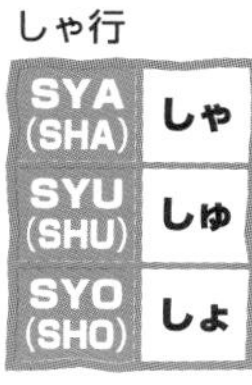

SYA (SHA)	しゃ
SYU (SHU)	しゅ
SYO (SHO)	しょ

みゃ行

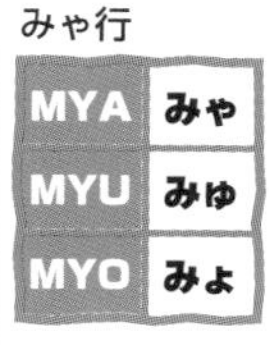

MYA	みゃ
MYU	みゅ
MYO	みょ

にゃ行

NYA	にゃ
NYU	にゅ
NYO	にょ

りゃ行

RYA	りゃ
RYU	りゅ
RYO	りょ

句読点や記号を入力するには

キーワード
句読点

句読点やカギカッコなどは、文章を書く上でよく使用されるので、キー配列は近いところに配置されています。**「、」「。」は、M キーの右側に配置されています。カギカッコは、Enter キー左隣りに配置されています。**そのまま入力すると画面に表示されます。

また感嘆符「！」や疑問符「？」などは、そのまま入力できるものと Shift キーを押しながら入力しなければいけないものがあります。例えば、。キーの右隣りの め キーをそのまま入力すれば「・」、Shift キーを押しながら入力すれば「？」になります。「！」なら、Shift キーを押しながら左上の 1 を入力します。そのまま押すと、数字の「1」になります。

MEMO 記号の多くは、[Shift] キーを押しながら入力します。左右どちらの [Shift] キーも同じです。

句読点・記号

そのまま入力できる句読点や読点

Shift（片方の小指で押す）を押しながら入力できる記号

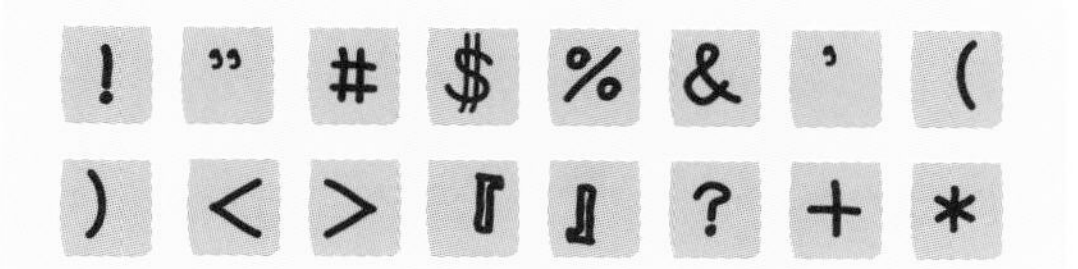

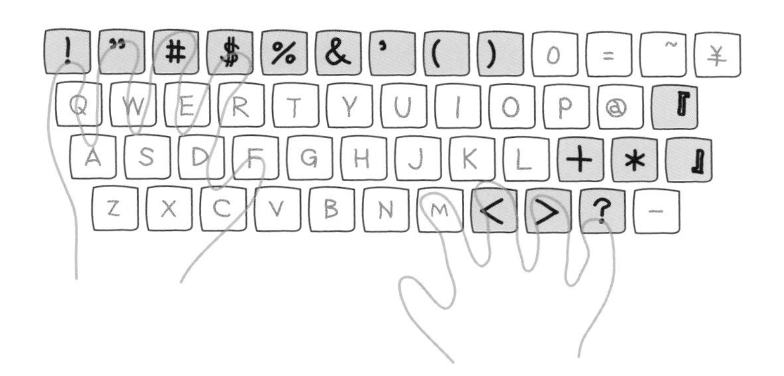

［Shift］キーは小指で押しながらの作業になります。左右にある［Shift］キーは、目的の記号から遠い方を使うようにしましょう。

Typing

15

かなとカナと漢字が混じった文章を入力するには

キーワード
F7

これまで文字の入力を練習してきましたが、ここでは簡単な文章を入力してみましょう。「今日はバスで出勤します」の入力では、「きょう」と入力して変換、確定し、「は」と入力して確定、などと単語ごとに入力していると効率良くありません。この場合は、「きょうはばすでしゅっきんします」と**読みがなをまず入力して、□（スペース）キーで一気に変換します。**

間違っていた文節があったら、→ ← キーで移動して □（スペース）キーを使って変換し直し、Enter キーで確定します。

長文の場合は、ある程度のところで確定して入力していったほうが、入力ミスも少なく効率も上がるでしょう。□（スペース）キーを押してもカタカナに変換できない場合は、**ファンクションキーの F7 キーを押します。**

MEMO
キーボードの最上段に配置されている［F1］～［F12］キーがファンクションキーです。

入力してみよう

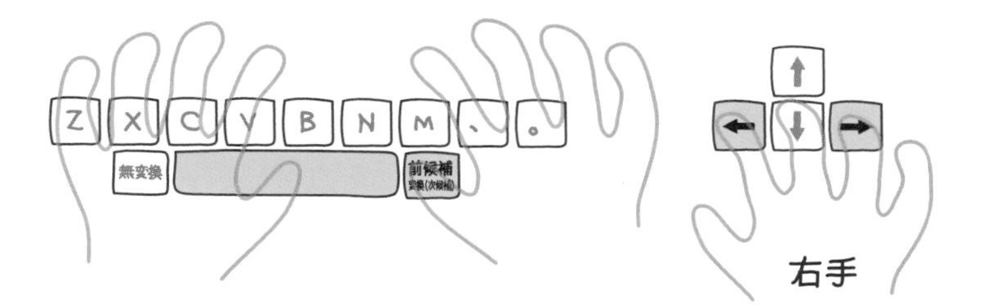

親指でスペースキーを押して変換する

矢印キーは右手を使う

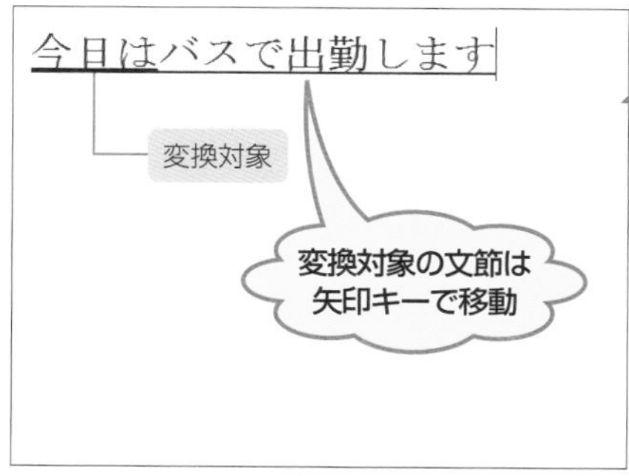

01

読みがなを入力して、[スペース]キーで変換すると、文節ごとに区切られる

[スペース] キーは親指で押します。ホームポジションで待機している状態では、[スペース] キーに軽く触れるぐらいにします。

今日はバスで出勤します

02

漢字などが正しく変換されているか確認して、[Enter] キーを押して確定する

Typing

16

文節を変更するには

キーワード
文節

「きょうはばすでしゅっきんします」は簡単に「今日はバスで出勤します」と変換されました。多くの場合は、このように日本語入力システムが文章の構成を分析し、正しい日本語に変換します。しかし、漢字や送り仮名が誤変換される場合もあります。

例えば、「ここではきものをぬぐ」を変換すると「ここで履物を脱ぐ」と表示されますが、実際入力したい文章は「ここでは着物を脱ぐ」かもしれません。このように、**コンピュータが誤変換した場合は、ユーザーが変換し直さなくてはなりません。**

文節の長さを変更するには、Shift キーを押しながら → ← キーを押し、→ ← キーで文節位置を移動して ［ ］（スペース）キーで変換します。

MEMO 文節は辞書登録できるので、使用頻度の高いものは登録するのもよいでしょう。

文節の変更方法

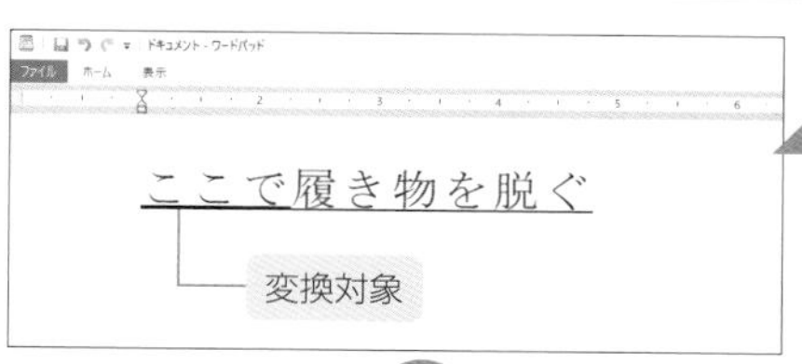

01

読みがなを入力して［スペース］キーを押す

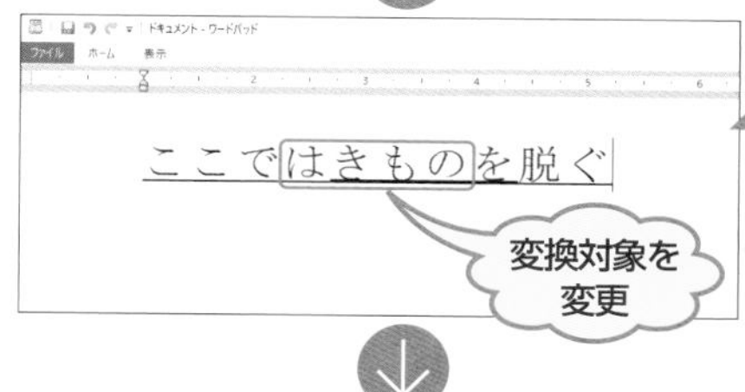

02

[Shift] キーを押しながら [←] [→] キーで文節の長さを変更して、[←] [→] キーで変更したい文節を移動して、[スペース] キーで漢字に変換する

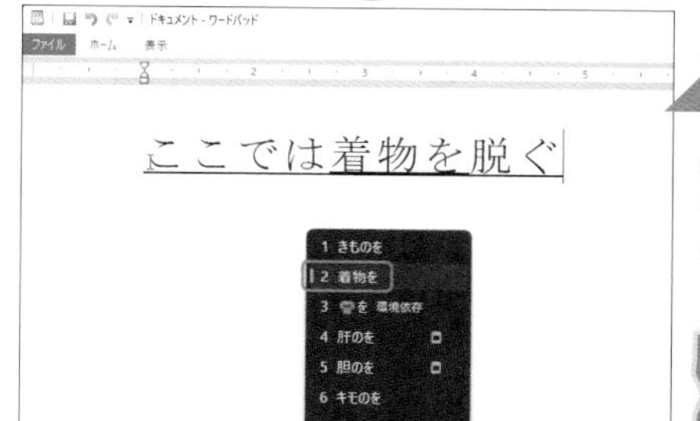

03

変換候補が一覧表示されるので、[↑] [↓] キーで変換する漢字を選択する

使用頻度の多い変換候補は、上位に検索されるようになります。

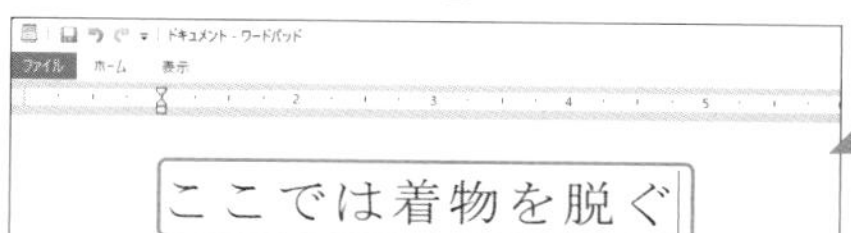

04

[Enter] キーを押すと文節と漢字の変更が完了する

17 入力ミスを訂正するには

キーワード
訂正

文字を入力する上でよくあるミスの対処方法を紹介します。

読みがなを入力しているときのミスの訂正は、Delete キー、もしくは Backspace キーで1文字ずつ削除して入力し直すか、← キーでカーソルを移動して、抜けている部分の文字を入力します。

□（スペース）キーを押したあとのミスの訂正は、訂正したい文節を選んで Esc キーを押すと、読みがなに変換されるので、再変換して訂正できます。

確定してしまった直後のミスの訂正は、変換 キーを押すと、再び変換候補が表示されるので、それらの中から正しい語句を選ぶことができます。

MEMO 訂正する部分は、マウスでドラッグして範囲指定しておくこともできます。

入力ミスの訂正方法

●読みがなを入力しているときのミスを訂正する

ていせする

01

[←] キーで訂正したい部分の後ろにカーソルを移動し、追加の文字を入力する

ていせいする

変換後のミスで、波線を復活したときに [Esc] キーを押すと、変換候補になっている文字も読みの状態になります。

訂正する

02

[スペース] キーを押して漢字に変換し、[Enter] キーで確定する

訂正する

[←] [→] を使って何度も訂正するのなら、[Back space] キーで削除して打ち直した方が早い場合もあります。

● [スペース] キーを押したあとのミスを訂正する

呈せする

ていせする

01

[スペース]キーを押して漢字変換。[←]キーを押して、「呈せ」を変換対象にして（または、「せ」の後ろをクリック）し、[Esc] キーを押すとひらがなに戻る

ていせいする

訂正する

02

追加の文字を入力し、[スペース] キーで漢字変換して、[Enter] キーで確定する

●確定直後のミスを訂正する

訂正する

01

確定直後の状態で、[変換] キーを押す

訂正する

02

変換対象が復活し、選択候補が表示される

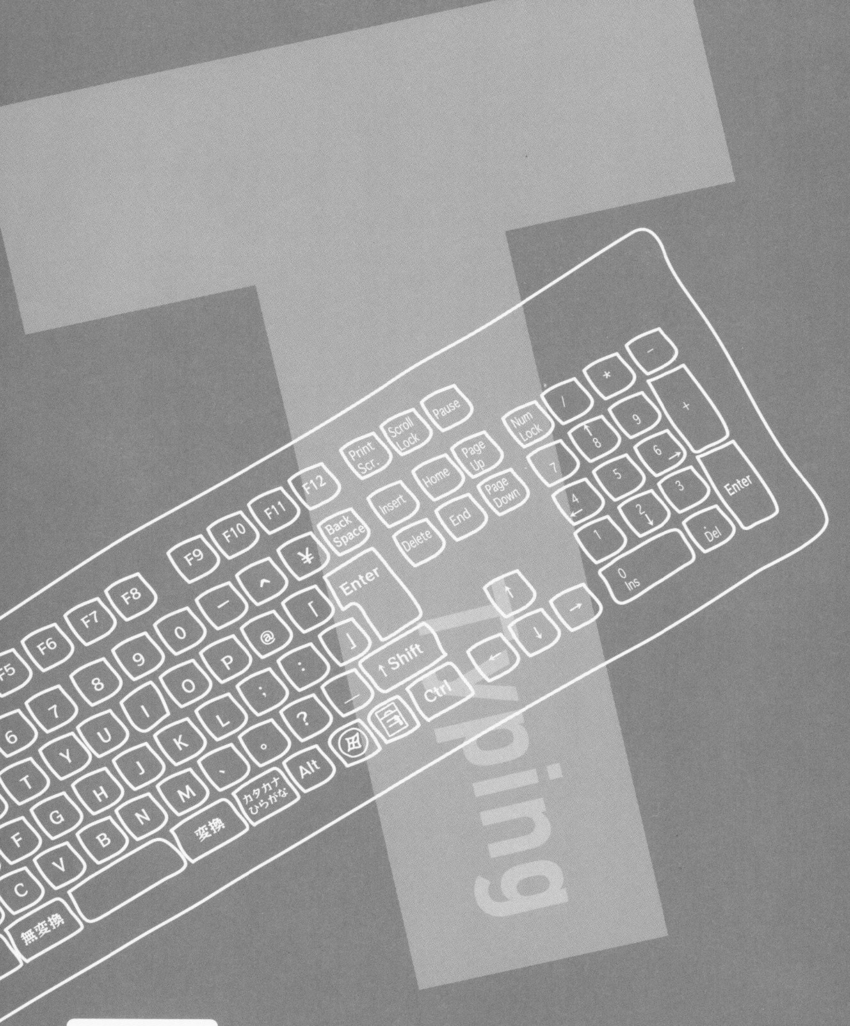

第3章
短期集中
文字入力トレーニング

変換候補から選択する

キーワード
[スペース]キー

入力した読み（ひらがな）を漢字変換するには、□（スペース）キー、もしくは変換キーを押して、変換された候補一覧から語句を選択します。一般には□（スペース）キーを使って変換します。左右どちらの親指でも押せるため効率が良いからです。変換キーを1回押すと、使用頻度最上位の語句に変換されます。もう1回押すと、変換候補の一覧が表示されます。さらに押すと、変換候補内を移動します。□（スペース）キーは変換以外に、その名のとおりスペース（空白）を入力する役目もあります。**日本語入力がオンになっている場合は全角スペースを、日本語入力がオフで英字入力になっているなら半角スペースが入力できます。**

MEMO 日本語入力システムの学習機能で、使用頻度の高い漢字は上位に表示されます。

漢字変換のトレーニング

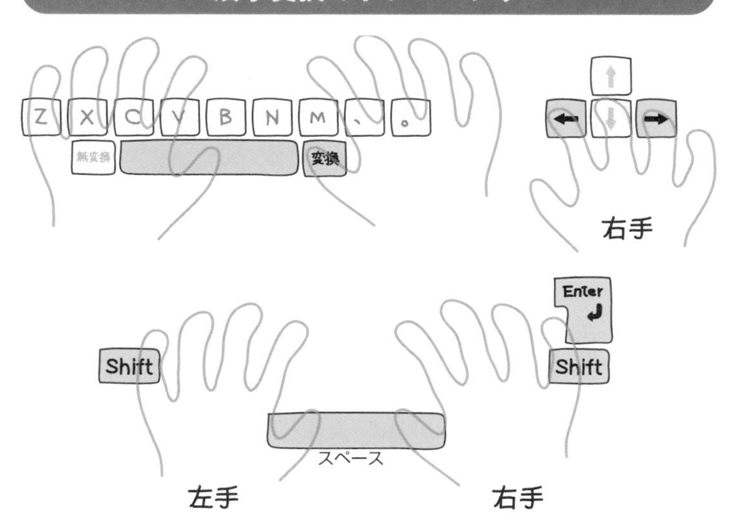

練習問題

難易度 ★☆☆☆☆

①日本語入力をオンにしてから入力し、漢字変換しましょう。
（各読みを3種類ずつの異なった漢字に変換してください）

あ　（亜、阿、唖、など）
さ　（差、砂、佐、など）
え　（柄、得、江、など）
せ　（背、瀬、世、など）
で　（出、弟、デ、など）

02

同音異義語を入力する

キーワード
変換候補

同音異義語が多いのが日本語の特徴です。例えば、「かえる」という読みを変換すると、「カエル」「帰る」「代える」など、十数種類の「かえる」が変換候補として表示されます。多くの変換候補の語句に簡単な意味や使い方の例が表示されるときは、それを参考にして適切な語句を選ぶことができます。

また、変換候補の数は決まっているため、候補が多すぎる場合には一度に全部は表示されません。変換候補から語句を選択する基本操作は、変換キーを押し続けることですが、素早く選択するには別の方法もあります。一つは、選択候補の先頭に表示される数字を入力する方法です。多くの変換候補があるときには、Shift＋「↓」「↑」キーで9個ずつ候補群を切り替えることもできます。

MEMO
MS-IMEは、Windowsに標準で付いている日本語変換ソフトです。

同音異義語のトレーニング

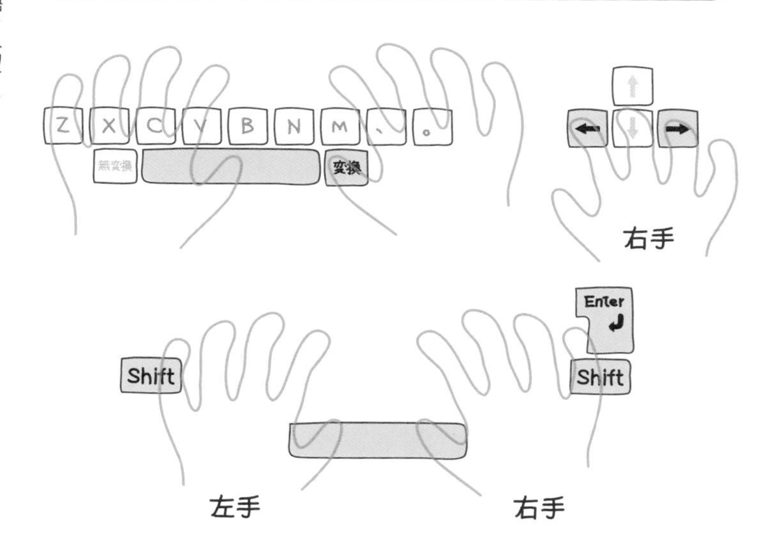

練習問題

難易度 ★★☆☆☆

①次の同音異義語を入力してください。

あく	開く	明く	飽く	灰汁
きき	機器	既記	危機	嬉々
いこう	行こう	憩う	意向	移行

Typing

英文を入力する

キーワード
アルファベット

日本語の文書を入力する基本操作は、「読みの入力➡変換➡確定」です。このとき読みがなは全角文字で入力します（ひらがな入力）。

日本語文章入力の途中で英単語を入力するときは、そのつど半角英数字での入力に切り替えるよりも、Shiftキーを押しながら文字キーを押します。すると、大文字の半角アルファベットが入力でき、Shiftキーを押すまで、アルファベットを入力できるようになります。

アルファベットの長い文章を入力するには、かな入力（ひらがな入力）を英数文字入力に切り替えます。通常は、半角/全角キーを押すと、全角入力（ひらがな入力）が半角（英数文字）入力に切り替わります。

英文入力では、文章の最初を大文字にするため、Shiftキーを多用します。

スペースキーは、単語の間を空けるために使います。

英文入力のトレーニング

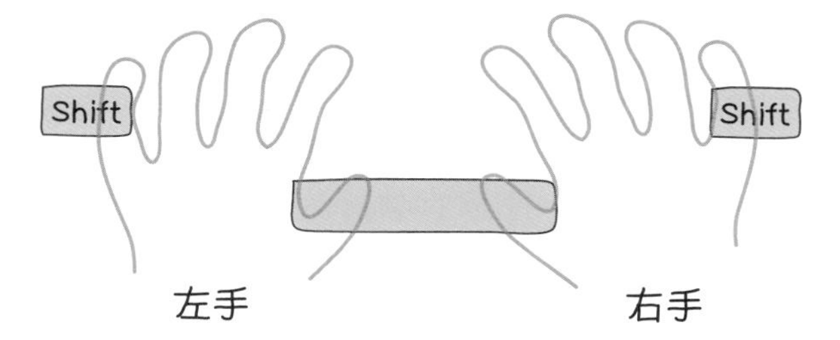

練習問題

難易度 ★★☆☆☆

①次の英単語を半角英数字で入力してください。

Japan　Tokyo　virus　health　picture

②次の英文を入力してください。

If you can dream it, you can do it.

予測入力で入力する

キーワード
予測入力

予想入力とは、変換する単語や短い文章の最初の何文字かを入力すると、AIが予測した変換候補を表示する機能です。例えば、「どう」と読みを入力しただけで、「動作」「動画の」「どうぞよろしくお願いいたします。」などの変換候補が表示されます。

通常の変換候補ウィンドウと予測入力の変換候補ウィンドウは別のものです。［　］（スペース）キーなどの変換キーを押すと表示されるのが通常のウィンドウですが、予測入力のウィンドウは設定した読みの文字数を入力すると自動的に表示されます。予測入力で語句（文書）を入力するには、［Tab］キーを押して変換候補から選択します。

MS-IMEの変換候補機能を利用する／利用しないはWindowsの設定パネルで設定します。タッチタイピングの練習のためには、予測入力はオフにしておくことを推奨しますが、文字入力の実作業では予測入力を使った方が効率は上がります。

MEMO　予測入力の変換候補を選択する[Tab]キーを押すには、左手の小指を使います。

予測入力のトレーニング

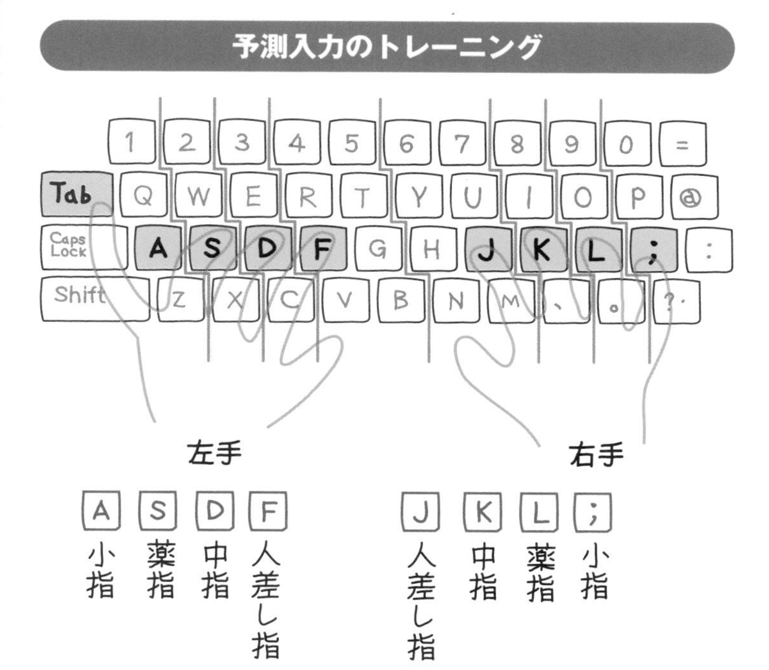

練習問題

難易度 ★★☆☆☆

①次の語句やフレーズを予測入力で入力してください。

お疲れ様です。　おはようございます。
思います。　ありがとうございます。
いつもお世話になっております。
ございます。　ご覧ください。
ご苦労様です。

COLUMN ● 予測入力とは

予測入力とは、ごく短い読みで、あなたが過去に入力した語句やフレーズ、さらに世の中でよく使用される変換の履歴などを使って、AIが変換候補を示す機能です。

■ Windowsで予測入力を設定する

MS-IMEの予測入力では、Windowsの設定パネルで機能のオンとオフや読みの文字数などが設定できます。

❶ Windowsの「設定パネル」を開いて、「時刻と言語」➡「言語と地域」➡「日本語」の「…」➡「言語のオプション」➡「Microsoft IME」の「…」➡「キーボードオプション」➡「全般」ページを開く。

❷「予測入力」欄で予測候補を表示するまでの文字数を設定し（「オフ」を除く）、予測に使用するデータを選んでオンにする

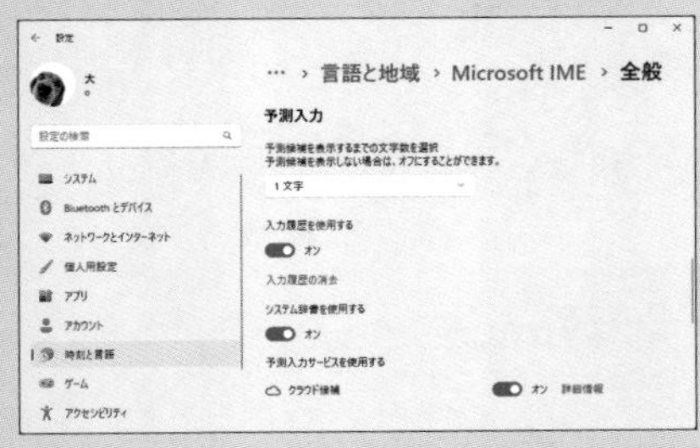

■ Macコンピューターの予測入力を設定する

Macコンピューターに標準で付属している日本語変換システム「日本語IM」の予測入力機能は、「ライブ変換」といいます。この機能のオン/オフの切り替えは、デスクトップのメニューバーの入力モードアイコンをクリックすると開くドロップダウンメニューでチェックを付けます。

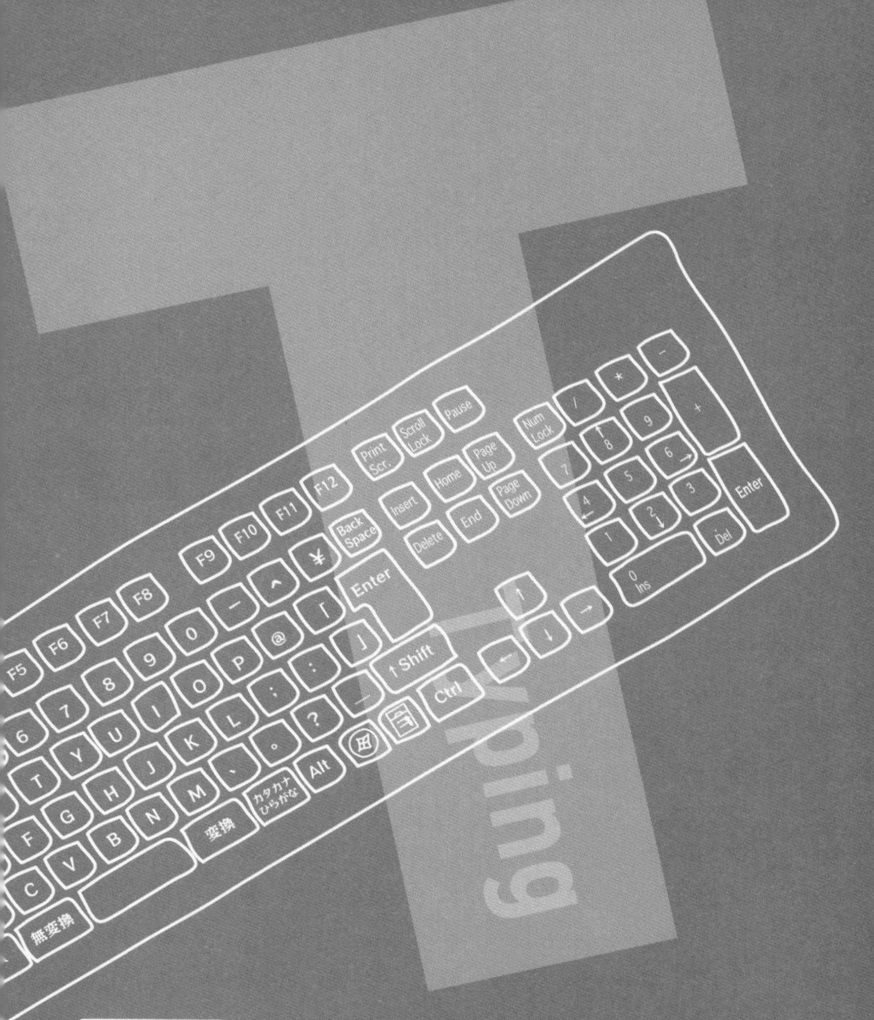

第4章

実践タッチタイピング 1週間でマスター［1日目］

Typing

01

ホームポジションの練習「朝じゃ朝じゃ体がカサカサじゃ」

キーワード
ASDF
JKL；

ここからは、いよいよタッチタイピングの実践トレーニングです。

第1章でホームポジションについて触れました。ここでは、ホームポジションの位置を確認します。ホームポジションは、左手から、小指が「A（ち）」、薬指が「S（と）」、中指が「D（し）」、人指し指が「F（は）」、右手は人指し指が「J（ま）」、中指が「K（の）」、薬指が「L（り）」、小指が「；（れ）」で、「ASDF JKL；」となります。

F と J の突起を目印として人指し指を置くと、自然に親指以外の残りの指の配置も決まるでしょう。また両手親指は、［ ］（スペース）キーに軽く触れるぐらいにしてください。この定位置は、タッチタイピングをマスターする上で最も大切なものです。

MEMO ホームポジションは、タッチタイピングの基本中の基本です。

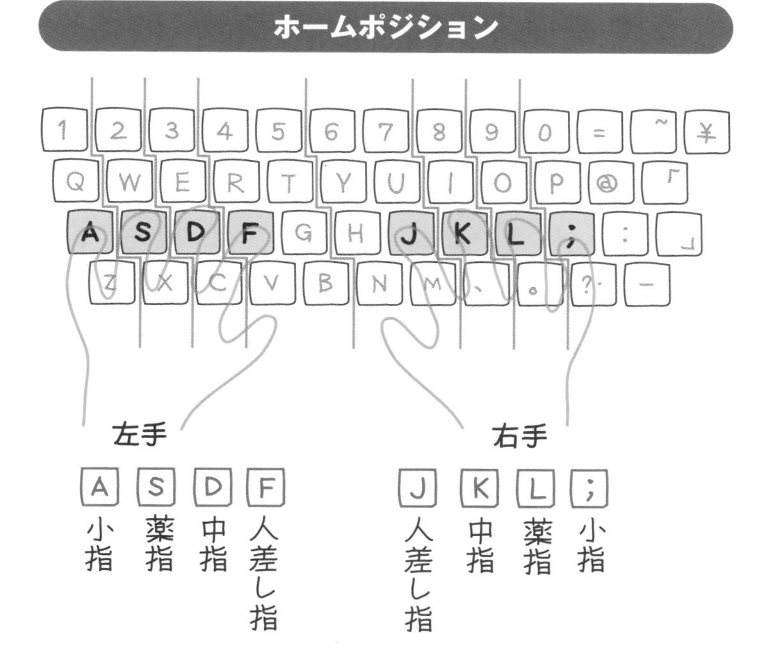
ホームポジション
1 2 3 4 5 6 7 8 9 0 = ~ ¥
Q W E R T Y U I O P @ 「
A S D F G H J K L ; : 」
Z X C V B N M 、 。 ? —
左手
右手
A 小指
S 薬指
D 中指
F 人差し指
J 人差し指
K 中指
L 薬指
; 小指

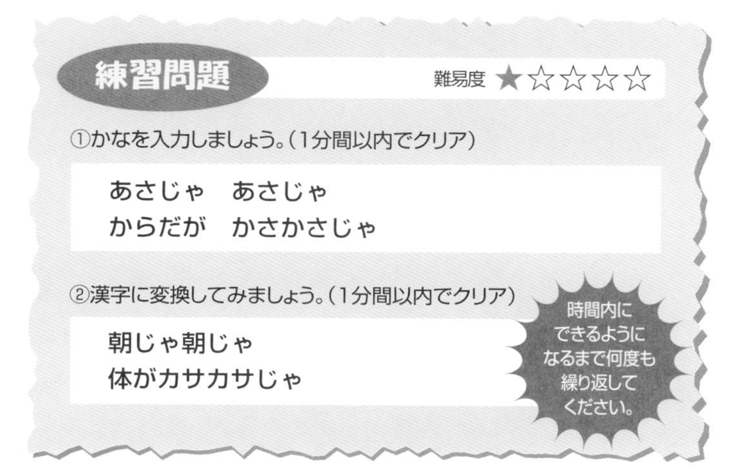
練習問題
難易度 ★☆☆☆☆
①かなを入力しましょう。(1分間以内でクリア)
あさじゃ　あさじゃ
からだが　かさかさじゃ
②漢字に変換してみましょう。(1分間以内でクリア)
朝じゃ朝じゃ
体がカサカサじゃ
時間内にできるようになるまで何度も繰り返してください。

母音のトレーニング「上野の甥の青い家」

キーワード
母音

ローマ字入力では、母音を入力する回数は他のキーと比べて圧倒的に多くなります。

では、ホームポジションに指を置いてください。[A]は、左手小指のホームポジションなので、そのまま左手小指で押すだけです。[I]は、ホームポジション右手中指[K]の一段上に配置されているので、右手中指を上に移動して押します。

入力が終わったら、指はホームポジションに必ず戻して次の文字を打つ態勢をつくります。[U]は、ホームポジション右手人指し指の一段上に配置されています。[E]は、ホームポジション左手中指の一段上、[O]はホームポジション右手薬指の一段上ですので、それぞれ指を移動して押します。

MEMO 日本語入力システムはオンでもオフでもかまいません。オフだと英字が表示されます。

母音のトレーニング

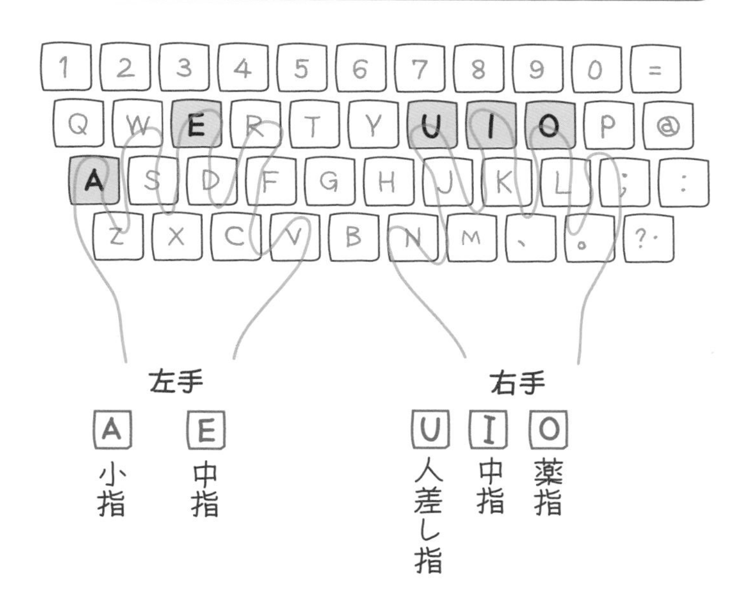

練習問題

難易度 ★☆☆☆☆

「上野の甥の青い家」

①かなを入力しましょう。(30秒以内でクリア)

うえののおいのあおいいえ

②漢字に変換してみましょう。(1分以内でクリア)

上野の甥の青い家

Typing

03

人指し指のトレーニング「武具馬具具馬具三武具馬具」

キーワード
人指し指

ここでは、人指し指のトレーニングをします。まず、次ページ図で人指し指が担当する各キーを見てください。

左人指し指は[T][G][B][R][F][V]、**右人指し指は**[Y][H][N][U][J][M]**で各6つずつになります。**最上段の数字の[4][5]は左人指し指、[6][7]は右人指し指となりますが、数字キーより、まず文字キーを覚えてください。

「ふ」などは、「日本式ローマ字」の[H][U]でも「ヘボン式ローマ字」の[F][U]のどちらでも入力できますが、タイピング練習用ソフトを使う場合は、設定に注意しましょう。

1日目は台詞の練習で使われるフレーズです。

MEMO できるだけキーを見ないで入力するのが上達のコツです。

人指し指のトレーニング

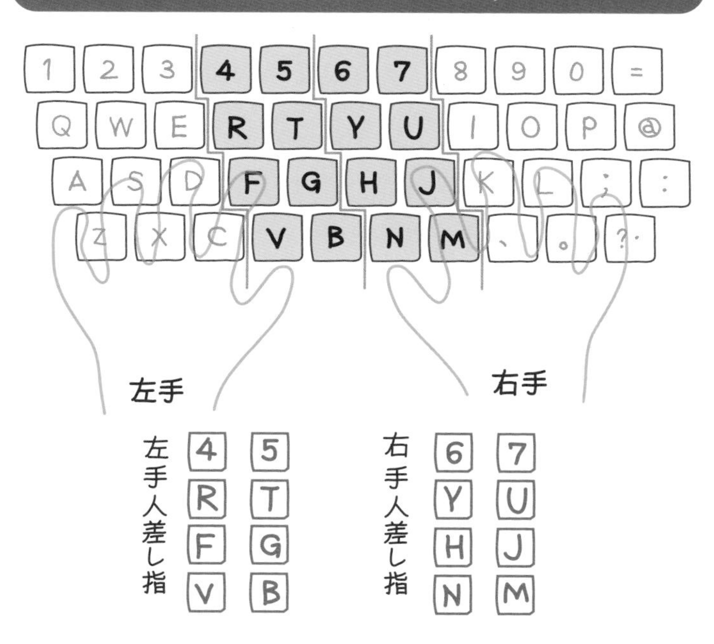

練習問題

難易度 ★☆☆☆☆

「武具馬具武具馬具三武具馬具」

①かなを入力しましょう。（30秒以内でクリア）

ぶぐばぐぶぐばぐ３ぶぐばぐ

②漢字に変換してみましょう。（1分以内でクリア）

武具馬具武具馬具三武具馬具

タッチタイピング腕だめし 1

次のかなだけの文章を制限時間（30秒間）内に入力し終えれば、タッチタイピング練習の1日目はクリアです。

ふゆはぐうぐう
はるはころころ
なつはめいめい
これなんじゃ

制限時間
30秒

ふ	ゆ	は	ぐ	う	ぐ	う
HU	YU	HA	GU	U	GU	U

は	る	は	こ	ろ	こ	ろ
HA	RU	HA	KO	RO	KO	RO

な	つ	は	め	い	め	い
NA	TU	HA	ME	I	ME	I

こ	れ	な	ん	じゃ
KO	RE	NA	NN	JA

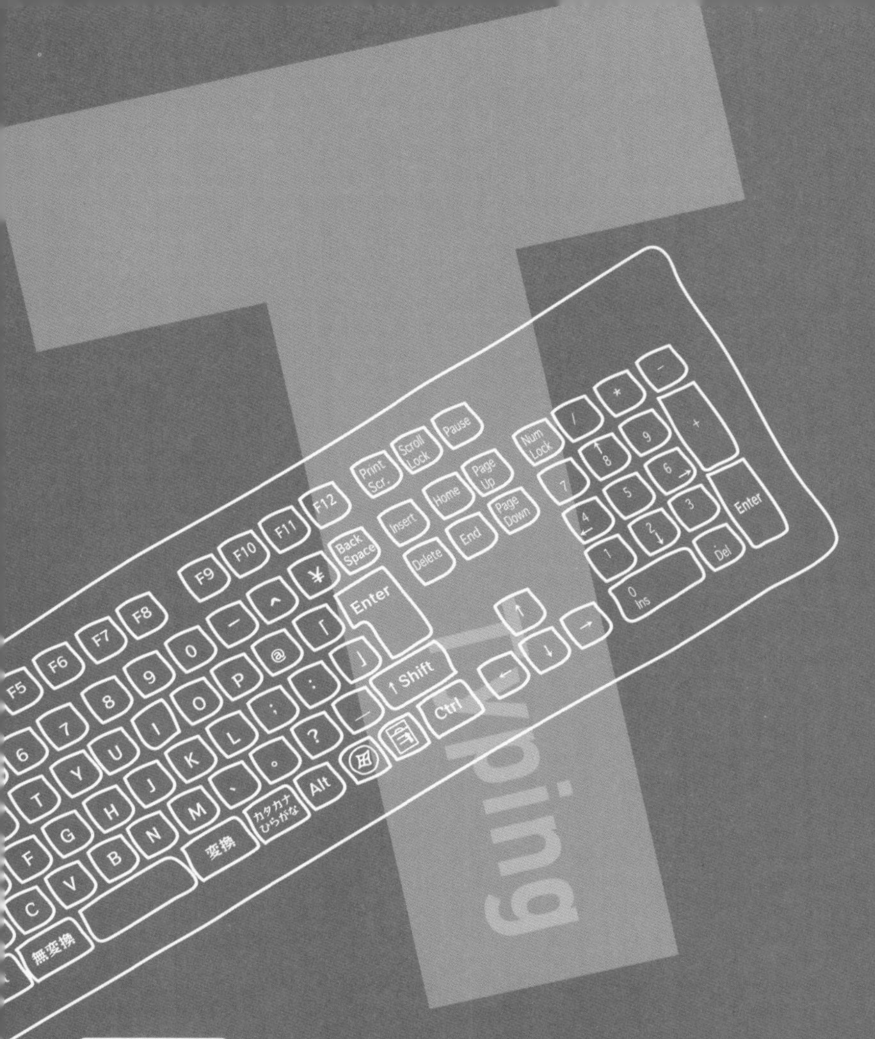

第5章
実践タッチタイピング 1週間でマスター[2日目]

Typing 01

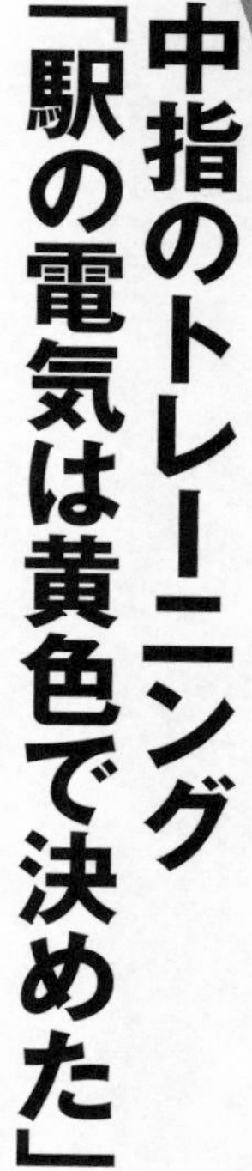

キーワード
中指

2日目は、中指のトレーニングからはじめます。まず、次ページの図で中指が担当するキーを見てください。

左中指は[E][D][C]と数字キーの[3]、右中指は[I][K][,]と数字キーの[8]になります。数字キーはあとで練習するので、ここでは残りを覚えます。

母音の[E]と[I]はトレーニングしたので、中指で覚えるのは、[D][C]と[K][,]の4つだけです。左中指の[C]は、通常のローマ字表記では使うことがなく、使用頻度が低いので、まず、「だぢづでど」を入力するときに使う[D]キーを、右中指は「かきくけこ」で使う[K]を練習しましょう。

中指を動かすと、薬指などもつられて動きますが気にしないでください。リラックスした状態でホームポジションに戻すことが大切です。

MEMO 母音の「E」「I」もよく使います。何度も繰り返し練習しましょう。

中指のトレーニング

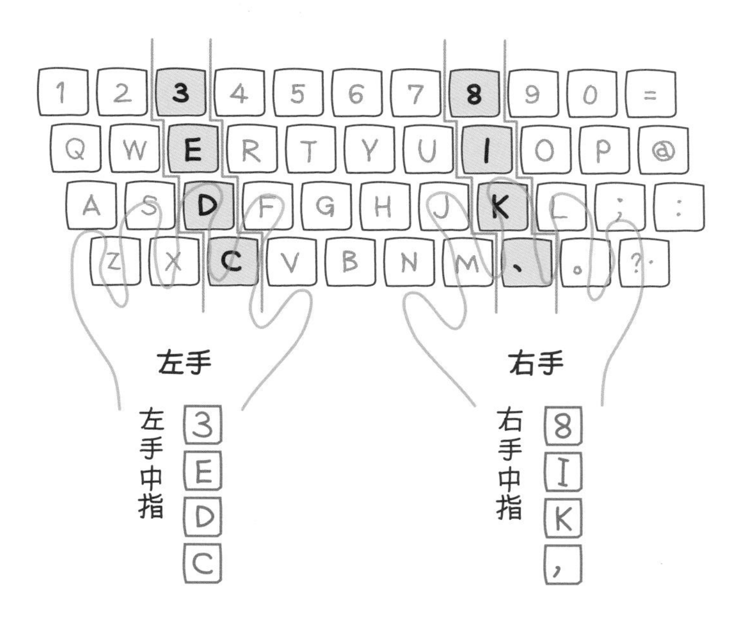

練習問題

難易度 ★☆☆☆☆

駅の電気は黄色で決めた

①かなを入力しましょう。(30秒以内でクリア)

えきのでんきはきいろできめた

②漢字に変換してみましょう。(1分以下でクリア)

駅の電気は黄色で決めた

02

薬指のトレーニング「私をそっとしておいて。」

キーワード
薬指

薬指は、日常生活ではあまり使わないのではじめは入力しづらいかもしれませんが、キーの担当は少ないので慣れれば簡単です。まず、次ページの図で薬指が担当するキーを見てください。**左薬指は W S X と数字キーの 2 、右薬指は O L . と数字キーの 9 になります。**数字キーはあとで練習するので、ここでは残りを覚えます。左薬指の S は「さしすせそ」で、X は「ぁぃぅぇぉ」「ゃゅょ」の拗音で使います。W は「わ」や「を」を入力するのに使います。右薬指の O は、母音でトレーニングしました。L は通常のローマ字表記ではあまり使いません。. はローマ字入力では、「。」(句点) でよく使いますので覚えてください。

次ページの練習問題で、母音との組み合わせ、人指し指や薬指との組み合わせを練習しましょう。

MEMO 「。」を打つとき、中指の「、」の位置とよく間違えるので注意しましょう。

薬指のトレーニング

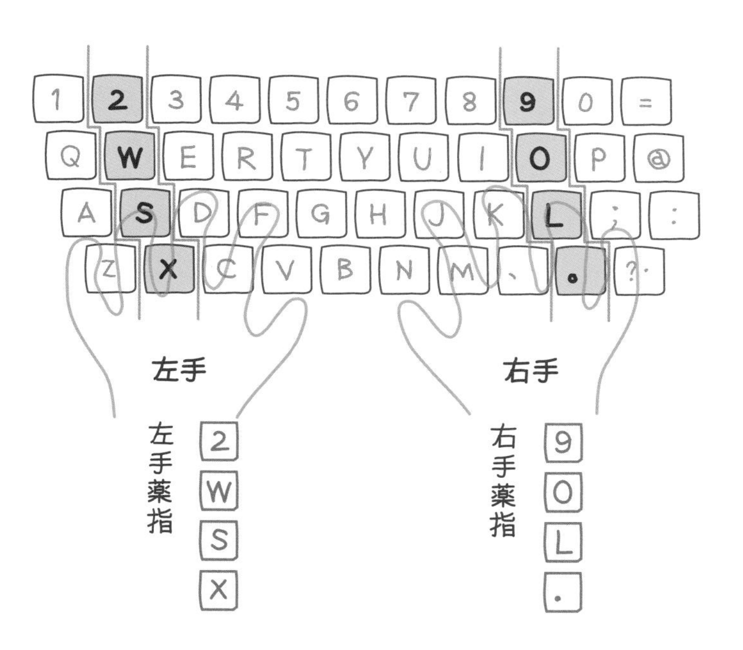

練習問題

難易度 ★☆☆☆☆

私をそっとしておいて。

①かなを入力しましょう。（30秒以内でクリア）

わたしをそっとしておいて。

②漢字に変換してみましょう。（1分以内でクリア）

私をそっとしておいて。

Typing

03 小指のトレーニング「パパのパパはジジ」

キーワード
小指

まず、次ページの図で小指が担当するキーを見てください。**左小指はQAZと数字キーの1、右小指はP;/と数字キーの0、さらに文字キーの右側にある記号キーや特殊キー、Enterキーや Shiftキーなども担当になります。**小指は、他の指に比べて短いのでキーが押しづらかったりしますが、よく使うキーが多いのでたくさん練習しましょう。

Enterキーなど、右小指が少し届きにくいかもしれませんが、他の指で押すのではなく、必ず右小指で押すようにしてください。入力が終わったらホームポジションに指を戻すことを心掛けてください。また、小指が浮いたりする場合は、親指を軽くスペースキーに固定して入力するのもよいでしょう。

MEMO 小指は、慣れないうちは押しづらいかもしれません。無駄な動きをなくして何度も練習しましょう。

小指のトレーニング

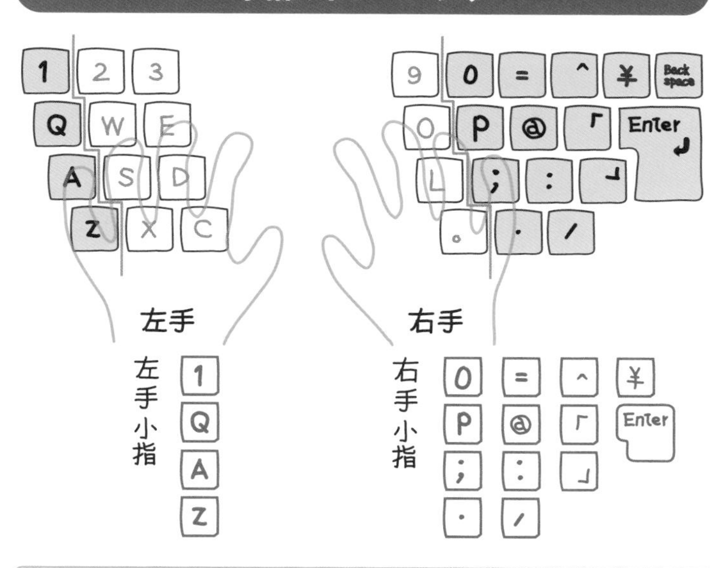

左手小指　1　Q　A　Z

右手小指　0　=　^　¥　P　@　「　Enter　;　:　」　・　/

右小指は、[Enter] キーを押すため使用頻度が非常に高いです。届きにくいからといって他の指で押すのではなく、必ず右小指で押すようにしてください。

練習問題　難易度 ★☆☆☆☆

パパのパパはジジ

①かなを入力しましょう。(30秒以内でクリア)

ぱぱのぱぱはじじ

②漢字に変換してみましょう。(30秒以内でクリア)

パパのパパはジジ

タッチタイピング腕だめし 2

次の文書を制限時間（30秒間）内に入力し終えれば、タッチタイピング練習の2日目はクリアです。

象でアフリカ旅すれば
キリマンジャロにわしが飛ぶ

象		で	ア	フ	リ	カ
ぞ	う	で	あ	ふ	り	か
ZO	U	DE	A	FU	RI	KA

旅		す	れ	ば
た	び	す	れ	ば
TA	BI	SU	RE	BA

キ	リ	マ	ン	ジャ	ロ	に
き	り	ま	ん	じゃ	ろ	に
KI	RI	MA	NN	JA	RO	NI

わ	し	が	飛	ぶ
わ	し	が	と	ぶ
WA	SI	GA	TO	BU

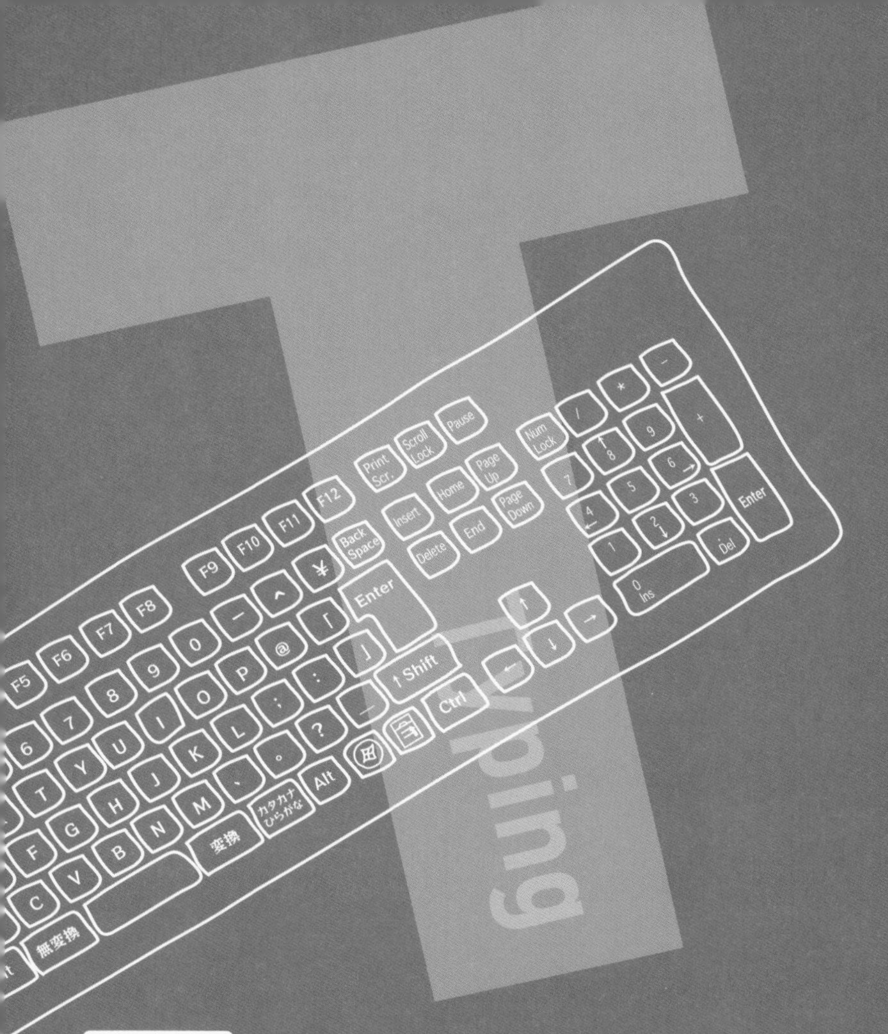

第6章

実践タッチタイピング
1週間でマスター[3日目]

Typing 01

句読点、括弧のトレーニング「今日は、晴れか」「はい。そうです」

キーワード
右手小指

トレーニング3日目は、文章でよく使う句読点、かぎカッコ、中黒の練習からはじめます。これらのキーは、指定の位置をそのまま押すだけでよいので慣れれば簡単です。**読点は［、］右手中指、句点［。］は右手薬指、中黒［・］は右手小指、かぎカッコも右手小指になります。**練習問題でホームポジションから繰り返し練習してください。

ある程度慣れたら、次は他のキーと組み合わせて練習しましょう。記号キーは、「てん」「まる」「なかぐろ」などと入力して変換する方法もあります。しかし、これらの記号はよく使うのでタッチタイピングできるようにしましょう。かぎカッコを押すコツは、［Enter］キーの左隣に配置されているので、はじめは［Enter］キーを経由して確認するのもよいでしょう。

MEMO 中黒「・」の使用頻度は少ないですが、確実にタイピングできるようにしておきましょう。

句読点、かぎカッコ、中黒のトレーニング

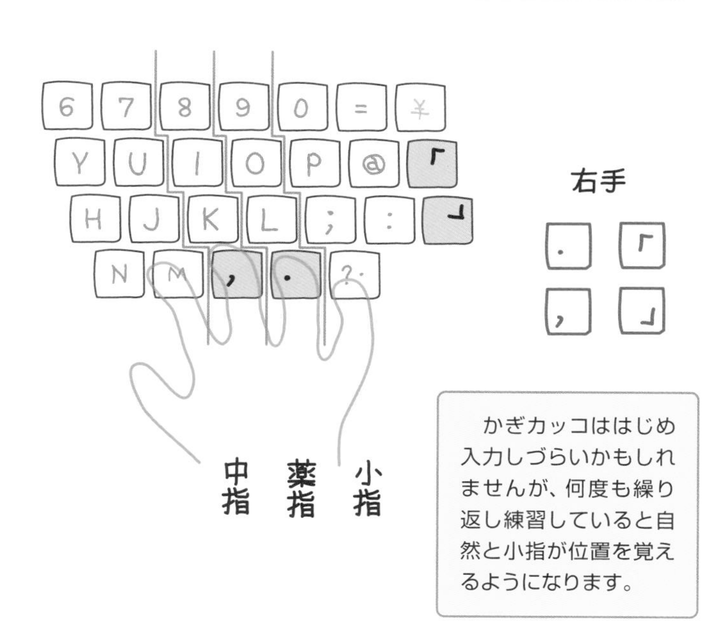

かぎカッコははじめ入力しづらいかもしれませんが、何度も繰り返し練習していると自然と小指が位置を覚えるようになります。

練習問題

難易度 ★★☆☆☆

「今日は、晴れか」「はい。そうです」

①ローマ字でかなを入力しましょう。（1分間以内でクリア）

「きょうは、はれか」「はい。そうです」

②漢字に変換しましょう。（1分間以内でクリア）

「今日は、晴れか」「はい。そうです」

Typing

02 数字入力のトレーニング「3.14159265358979」

キーワード
全角数字

数字の入力にはテンキーを使うことができますが、ここでは、上段に配列されている数字キーを使って練習します。テンキーは数字を打つには便利ですが、タッチタイピングで文章の中の数字を入力するとき、テンキーだと右手が完全にホームポジションから離れてしまいます。

キーボードで数字キーの配列を確認してください。**ファンクションキーの下段に左から[1]～[0]まで順に配置されています。**はじめは配置が遠く感じるかもしれませんが、ホームポジションをしっかり守りましょう。また指が浮いてしまう場合は、親指を[　]（スペース）キーに軽く置いて軸にして入力し、ホームポジションに戻るようにしてください。

MEMO　テンキーで入力した数字は、通常は半角になります。全角か半角に注意しましょう。

数字入力のトレーニング

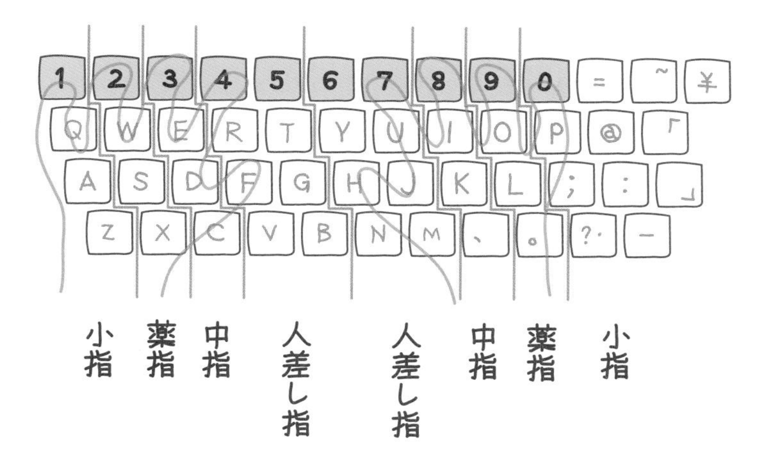

小指　薬指　中指　人差し指　人差し指　中指　薬指　小指

数字キーを確実に早く打てるようになれば、タッチタイピングの中級者以上といえるでしょう。文字キーのタッチタイピングができる人でも、数字はテンキーを使うという人は多いのです。

練習問題

難易度 ★★☆☆☆

3.14159265358979

①入力しましょう。（1分間以内でクリア）

[3][.][1][4][1][5][9][2][6][5][3][5][8]
[9][7][9]

●暗記方法

妻子異国に婿さん恐くなく（314 159 265 3 589 7 9）

Typing

03

テンキーのホームポジション

キーワード
テンキー

デスクトップ型のキーボードには、数字の入力を専用にするテンキーがあります。**テンキーとは、数字キーと演算記号が集められたキー配列のことです。**数字だけで集められたキー配列があれば、数字をよく使う場合に便利です。なお、ノート型パソコンの場合は、USB接続のテンキーをつなげて使うと便利です。

テンキーにも、文字キーと同じようにタッチタイピングのホームポジションがあります。**右手の人指し指、中指、薬指の3本で数字を入力します。ホームポジションは、右手人指し指が**4**、中指が**5**、薬指が**6**となります。**5のキーに目印となる突起物があります。演算記号は、薬指で押しますが、Enterキーは小指で押します。なお、テンキーで入力できる数字は、すべて半角になるので注意しましょう。

MEMO　入力する前に「Num lock」がかかっているかどうかを確認しましょう。

テンキーのホームポジション

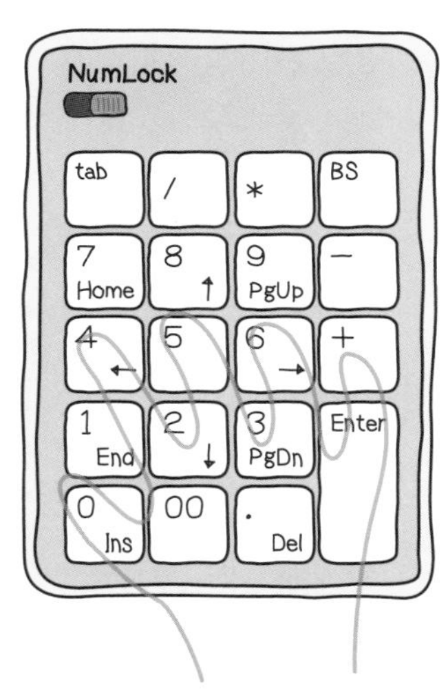

デスクトップ型のテンキー　　USB接続型のテンキー

テンキーをタッチタイピングできると、在庫管理など数字だけ入力するデータベースなどで時間を短縮できます。

練習問題

難易度 ★★☆☆☆

①テンキーを使って入力しましょう。（1分以内でクリア）

100+1,500+26,000+370,000=397,600
98700 − 6540 − 3210=88950
9 ＊ 6/4=13.5

04 [Shift] キーのトレーニング「20の80%は？」

キーワード
[Shift] キー

疑問符「?」や感嘆符「!」などの記号は、Shift キーとの組み合わせで入力します。 Shift キーは、下から2段目左右端に一つずつ配置されています。例えば、「!」は、右手小指で Shift キーを押さえながら、左手小指で 1 を入力します。要するに、**打ちたい記号の反対の手で Shift キーを押さえながらということになります。**

記号キーのタッチタイピングに慣れるのには時間がかかりますが、人指し指だけでなく、ホームポジションからそれぞれ担当する指で入力しましょう。特に、感嘆符「!」「%」や「&」など、よく使う記号は数字キーと同じ位置です。これらの記号は、「はてな（?）」「あんど（&）」などと入力して変換することもできます。

MEMO
[Shift] キーは反対の小指で押さえてください。同じ手だとホームポジションが不安定になります。

[Shift] キーのトレーニング

Shift を押しながら入力できる記号

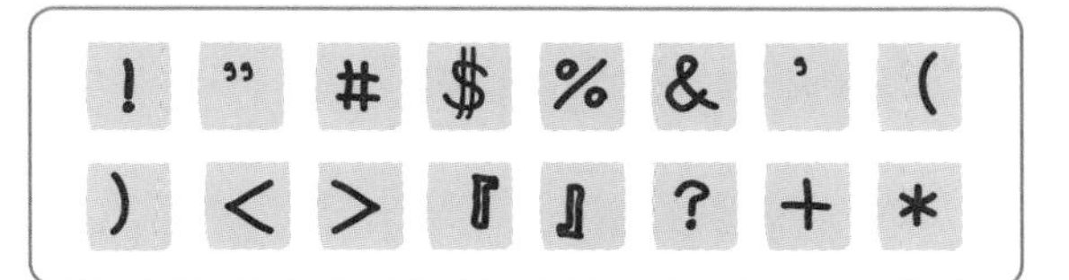

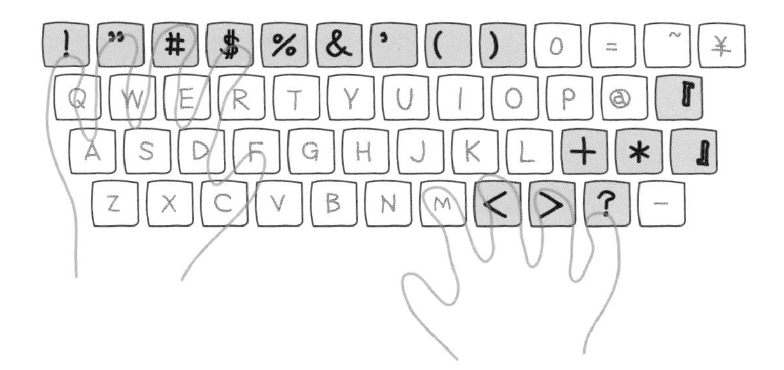

[Shift] キーは、様々なアプリケーションのショートカットなどでもよく使います。[Shift] キーに慣れれば、作業速度が格段に上がります。

練習問題

難易度 ★★☆☆☆

①入力しましょう。(1分間以内でクリア)

（1）20 の 8%は？　（2）12 は 30 の何%？

タッチタイピング腕だめし ❸

次の文書を制限時間（30秒間）内に入力し終えれば、タッチタイピング練習の３日目はクリアです。

＜1＞りんご（10こ）を
＄8で買った。1こいくら？

制限時間
30秒

＜	1	＞	リ	ン	ゴ
＜	1	＞	り	ん	ご
＜	1	＞	RI	NN	GO

（	1	0	こ	）	を
（	1	0	こ	）	を
（	1	0	KO	）	WO

＄	8	で	買	った	。
＄	8	で	か	った	。
＄	8	DE	KA	TTA	。

1	こ	い	く	ら	？
1	こ	い	く	ら	？
1	KO	I	KU	RA	？

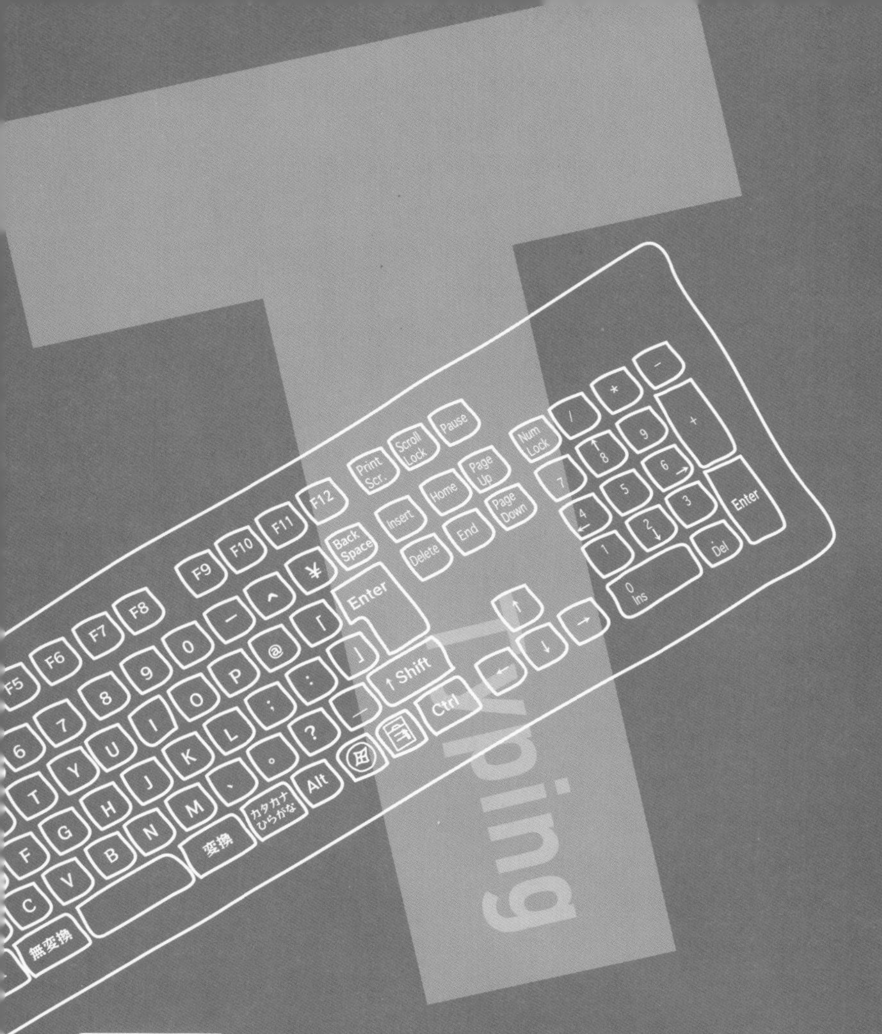

第7章

実践タッチタイピング 1週間でマスター［4日目］

Typing

01 氏名の入力「佐藤さん、鈴木さん」

キーワード
氏名入力

日本で一番多い名字は「佐藤」さんだといわれています。その数は、推定で200万人弱。二番目は鈴木さんです。小中学校のクラスに佐藤さんか鈴木さんが1人はいます。

では、名前の方はどうでしょうか。日本人の名前はバラエティーに富んでいます。赤ちゃんの名前で人気の高い「陽翔」君。読みは、「ひろと」「はると」「ひなと」などと読ませるそうです。

文字入力で名前を入力する機会は多くあります。この頃は、電子メールの挨拶に相手の名字をよく使います。もちろん、自分の名前もよく入力します。タッチタイピングのトレーニングとして、氏名入力はまさに実践的な課題です。

MEMO 名字の統計は『日本人の名字の統計解析』(2005年4月刊) 千田敏、間瀬茂著より。

名前入力のトレーニング

●名字のベスト5

1	2	3	4	5
佐藤	鈴木	高橋	田中	渡辺
SATOU	SUZUKI	TAKAHASI	TANAKA	WATANABE

●男の赤ちゃん（人気のある名前）

朝陽	碧	湊	陽翔	蓮
ASAHI	AO	MINATO	HARUTO	RENN

●女の赤ちゃん（人気のある名前）

陽菜	凛	葵	芽依	結菜
HINA	RINN	AOI	MEI	YUINA

練習問題

難易度 ★★☆☆☆

①次の名前を入力しましょう。（3分間でクリア）

佐藤朝陽	佐藤陽菜	鈴木陽翔
鈴木凛	高橋芽依	高橋葵
田中蓮	田中結菜	渡辺碧

Typing

02

住所の入力「東京都目黒区碑文谷」

キーワード
住所入力

名前の入力に続いては住所の入力です。住所を素早くタイピングできるかどうかで、文書入力のスピードが大きく変わってきます。

自宅の住所や会社、学校の住所なら読みを入力できるでしょうが、中には読み方のわからない住所もあります。このようなときは、とにかく知っている読みで漢字を出し、不要な文字を削除しながら入力することになります。

「東京都目黒区碑文谷（ひもんや）」は、読みを知っていれば、相当高い確率で変換されます。しかし、読みを知らなくても「ひぶん」の読みで「碑文」を出し、続けて「や」を入力すれば、なんとか入力できるでしょう。読みを知らない場合は、知っている場合に比べて時間と手間がかかります。

MEMO 郵便番号を住所に変換できる日本語変換システムもあります。

住所の入力トレーニング

ながの	の	けん	なが	の	し	き	な	さ
長	野	県	長	野	市	鬼	無	里
NAGA	NO	KENN	NAGA	NO	SI	KI	NA	SA

ちなみに、日本一長い住所は、京都府京都市上京区にある郵便番号「602-8368」の住所。なんと全部で261文字！

練習問題　難易度 ★★★☆☆

①上の住所を住所の予測入力サービスを使わずに入力しましょう。（3分間でクリア）

タッチタイピング腕だめし 4

次の住所と氏名を制限時間（３分間）内に入力し終えれば、タッチタイピング練習の４日目はクリアです。

東京都新宿区西新宿 2-8-1
東京百合子
広島県広島市中区大手町 1-10
平和童夢

制限時間
３分

東	京	都	新	宿	区	西	新	宿	2	-	8	-	1
TOU	KYOU	TO	SINN	JUKU	KU	NISI	SINN	JUKU	2	-	8	-	1

東	京	百	合	子
TOU	KYOU	YU	RI	KO

広	島	県	広	島	市	中	区	大	手	町	1	-	1	0
HIRO	SIMA	KENN	HIRO	SIMA	SI	NAKA	KU	OO	TE	MATI	1	-	1	0

平	和	童	夢
HEI	WA	DOU	MU

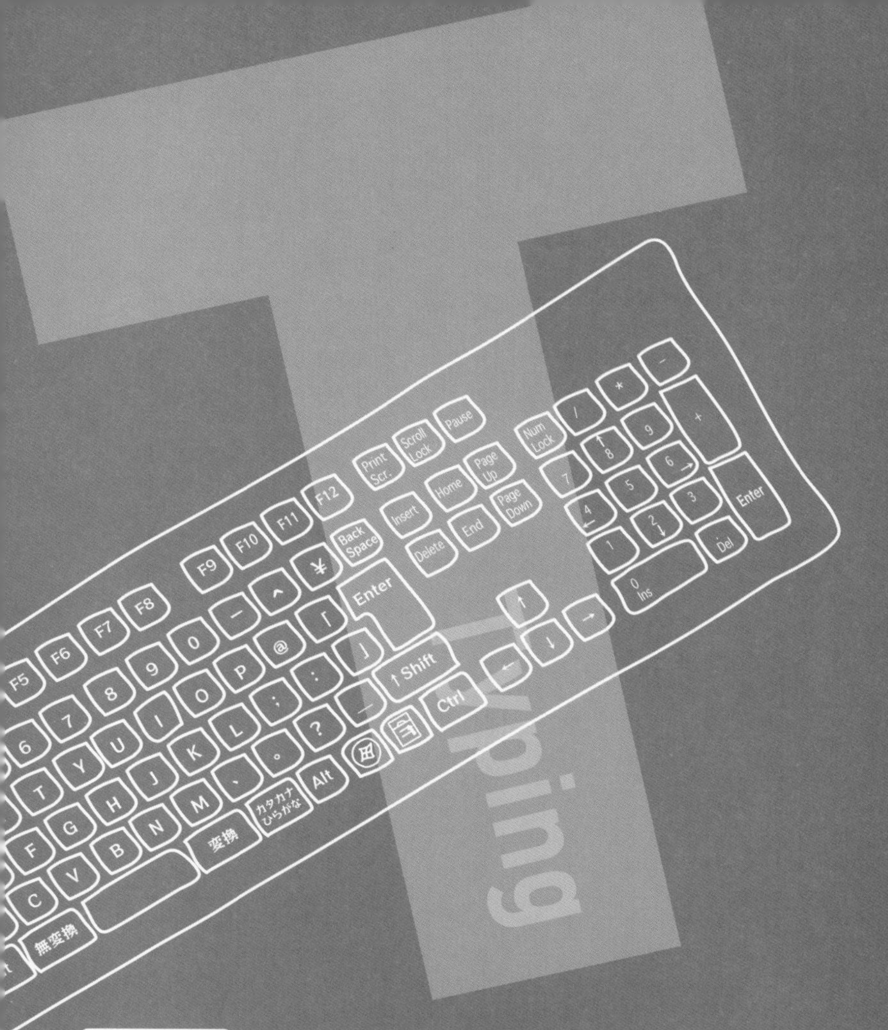

第８章

実践タッチタイピング
1週間でマスター[5日目]

Typing

01 よく使う文章の語尾をスイスイ入力する

キーワード
語尾

タッチタイピングは、最初はうまくいかなくても、時間をかければいつの間にか身に付くものです。ふだんあまり使わない指の動きは、最初は違和感を感じ、イライラすることもあるかも知れませんが、そんなときはひと吐息入れてみましょう。

さて、この章では、日常の文書作成でよく使う言い回しを中心にトレーニングします。堅い文書以外では、「かもし（知）れません」や「と思います」などが多用されます。Yahoo! Japanでそれぞれの語句を検索すると、「かもし（知）れません」や「と思います」といった語尾は非常に多くヒットします。これらの語句をスイスイ入力できるように練習しましょう。

なお、トレーニングでは、予測入力の機能をオフにすることを推奨します。予測入力をオフにする方法は、3章末のコラムを参照してください。

MEMO 予測入力を使うと、「かもしれません」は「かも」と入力しただけで候補にあがります。

語尾入力のトレーニング

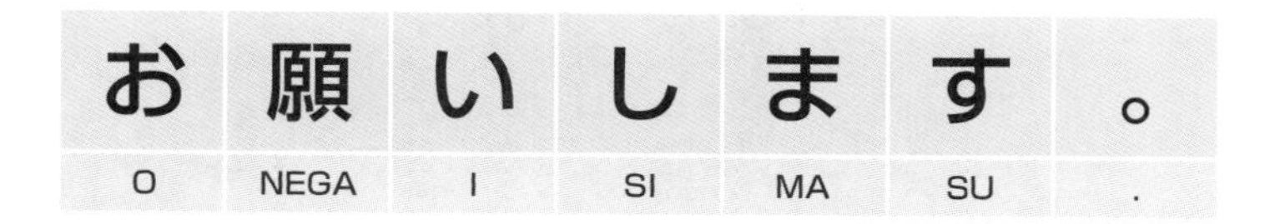

と 思 い ま す 。
TO OMO I MA SU .

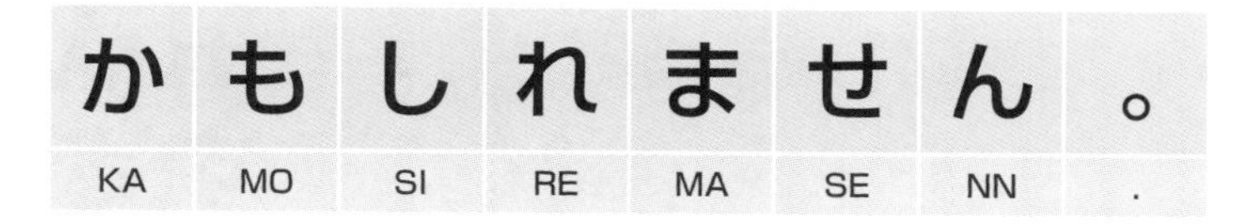

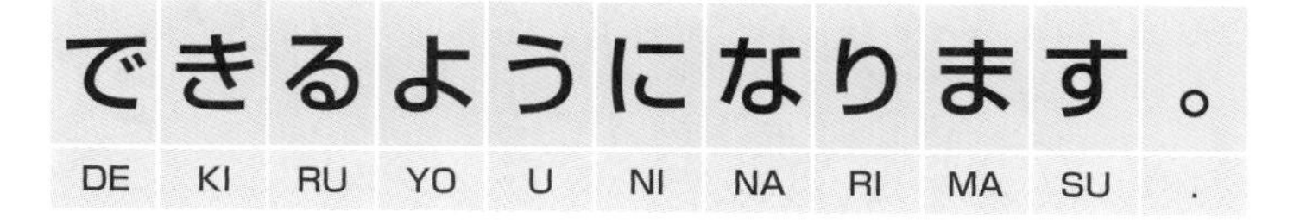

練習問題

難易度 ★★★☆☆

①上の語句を入力しましょう。（1分間でクリア）

②次の文書を入力しましょう。（1分間でクリア）

明日は、晴れると思います。そうすれば、運動会もできるようになるでしょう。ぜひ、お弁当をよろしくお願いします。

Typing

02 いつものあいさつ文をしっかり入力する

基本を身に付けたなら、あとは練習次第です。とにかく、習うより慣れろ。少しでも多くの文字を入力することが、タッチタイピング上達の道です。

さて、毎日の電子メールでも、あいさつ文は忘れずに書きたいものです。TPOを守って、親しい間柄であっても、失礼のないよう礼儀を守りたいものです。そんなとき、入力が億劫だと、人間関係にも影響を与えかねません。

あいさつ文には、漢字を使わないようにした方が、やわらかい印象が伝わるようです。トレーニング用の例文も、ひらがなばかりです。変換がないので楽ですね。

キーワード
あいさつ文

あいさつ文を入力することで相手への思いや、本文への準備ができます。

あいさつ文の入力トレーニング

練習問題

難易度 ★★★☆☆

①上の語句を入力しましょう。（1分間でクリア）

②次の語句を入力しましょう。（1分間でクリア）

どうも、先日は遠いところ、わざわざお越しいただきまして、ほんとうにありがとうございました。

終わりのあいさつも間違えずに入力する

キーワード
文の終わり

さて、5日目の最後は、文書の終わりのあいさつを使ったトレーニングです。

文書が終わったのか、それともまだ続くのかは、はっきりとさせなければなりません。「以上」と事務的に打ち切ることもありますが、電子メールでも、通常はちょっとした心遣いがあるといいでしょう。

「よろしくお願いします。」などが一般的で、ほとんどの場合に使えますが、いつもそればかりでは、あらかじめ用意しているような印象が持たれかねません。

終わりのあいさつがない文書は、喧嘩腰のメッセージや、どうでもよいメッセージといった印象を与えます。親しい間柄でも、「楽しみにしています」や「またね」など、あった方がいいですね。

MEMO 間違って、電子メールを文の途中で送信してしまうこともあります。終わりのあいさつは重要です。

おわりのあいさつのトレーニング

頑	張	って	く	だ	さ	い	ね	。
GANN	BA	TTE	KU	DA	SA	I	NE	.

ま	た	、	近	い	う	ち	に	。
MA	TA	,	TIKA	I	U	TI	NI	.

で	は	、	こ	れ	で	失	礼	し	ま	す	。
DE	HA	,	KO	RE	DE	SITU	REI	SI	MA	SU	.

練習問題

難易度 ★★★☆☆

①上の語句を入力しましょう。（1分間でクリア）

②次の語句を入力しましょう。（1分間でクリア）

この盃を受けてくれ。どうか、なみなみ注がせておくれ。花に嵐のたとえもあるさ。さよならだけが人生さ。

タッチタイピング腕だめし 5

次の文章を制限時間（３分間）内に入力し終えれば、タッチタイピング練習の５日目はクリアです。

制限時間
３分

いつもご利用ありがとうございます。
週末は、まだ若干空きがあります。
晴れればいいな、と思っています。
お忙しいところ、お邪魔しました。

い	つ	も	ご	利	用	あ	り	が	と	う	ご	ざ	い	ま	す	。
I	TU	MO	GO	RI	YOU	A	RI	GA	TO	U	GO	ZA	I	MA	SU	.

週	末	は	、	ま	だ	若干	空	き	が	あ	り	ま	す	。
SYUU	MATU	HA	,	MA	DA	JAKKANN	A	KI	GA	A	RI	MA	SU	.

晴	れ	れ	ば	い	い	な	、	と	思	って	い	ま	す	。
HA	RE	RE	BA	I	I	NA	,	TO	OMO	TTE	I	MA	SU	.

お	忙	し	い	と	こ	ろ	、	お	邪	魔	し	ま	し	た	。
O	ISOGA	SI	I	TO	KO	RO	,	O	JA	MA	SI	MA	SI	TA	.

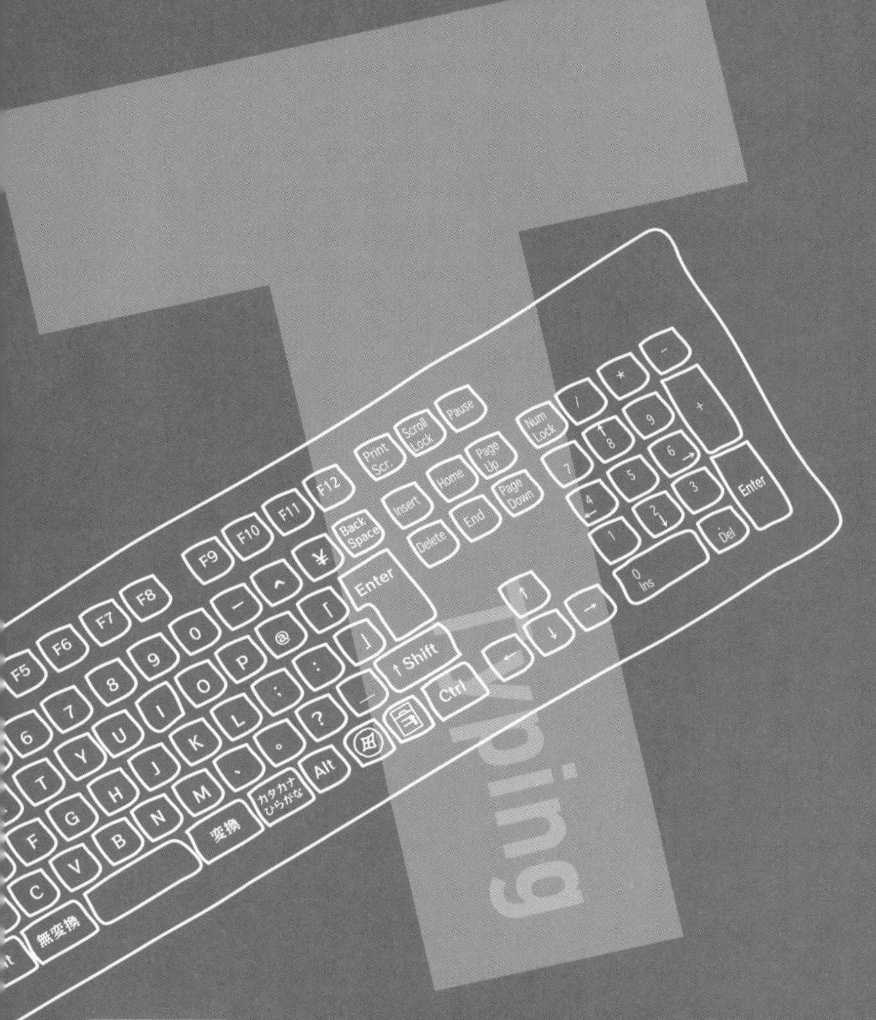

第9章

実践タッチタイピング 1週間でマスター[6日目]

01 ビジネス用語のトレーニング

キーワード
ビジネス

ビジネスシーンでパソコンは欠かせないものとなっています。例えば、メールのやり取りや、ワードやエクセルなどのアプリケーションでビジネス文書を作成したりと、1人1台のパソコンが支給されるのが当然のようになっています。

アプリケーションの使用方法も大切ですが、まずその前にキーボードの扱いに慣れていないと、ビジネス文書一つを作成するのも大変です。

タッチタイピングができると、頭で感じたことが直感的に入力できるので、アプリケーションの操作などを覚えるにも時間短縮になります。

ここでは、ビジネス文書で使用頻度の高い単語やフレーズをトレーニングしてみましょう。

MEMO アプリケーションの操作にも、タッチタイピングのスキルは重要です。

ビジネス用語のトレーニング

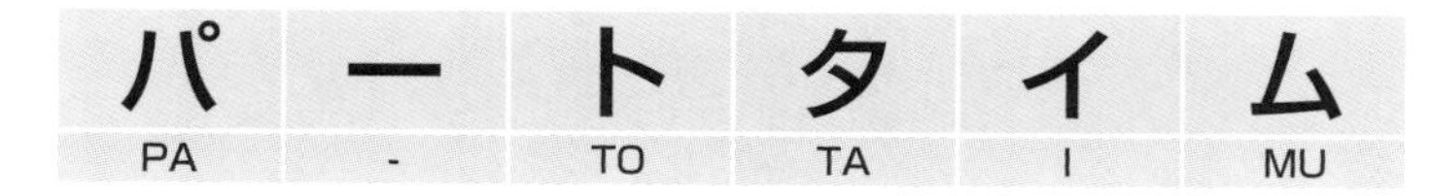

練習問題

難易度 ★★★☆☆

①上記の語句をそれぞれ3回ずつ入力しましょう。（3分間でクリア）

②次の語句を入力しましょう。（2分間でクリア）

寄り付きの東京株式市場で日経平均は小反発。マーケットの不安要因が一時的に解消されたため。

年賀状を書くトレーニング

キーワード
年賀

「年賀」とは、日頃お世話になっている人や長い間会っていない人に、感謝の気持ちやご無沙汰しているお詫びなどを込めた、新年を迎える際のあいさつです。
年賀状を作成する上で、知っておきたいマナーを紹介します。
まず、表書きの5つのマナーです。**①はがきの向きは合っていますか？　②郵便番号は7ケタですか？　③「年賀」という文字はありますか？　④敬称は正しいですか？　⑤書き損じはありませんか？**
よく迷うのが敬称ですが、夫婦連名の場合は二人の名前に「様」を付けて、家族が5人以上になった場合は、「○○家御一同様」とします。個人名を特定せず、会社の部署などに送る場合は「御中」を付けます。

MEMO　年賀状作成ソフトで有名なものに、「筆王」や「筆まめ」などがあります。

年賀用語のトレーニング

謹	賀	新	年
KINN	GA	SINN	NENN

あ	け	ま	し	て	お	め	で	と	う	ご	ざ	い	ま	す
A	KE	MA	SI	TE	O	ME	DE	TO	U	GO	ZA	I	MA	SU

A		H	A	P	P	Y		N	E	W		Y	E	A	R	!
A		H	A	P	P	Y		N	E	W		Y	E	A	R	!

本	年	も	変	わ	ら	ぬ	ご	指	導	ご	鞭	撻	を
HONN	NENN	MO	KA	WA	RA	NU	GO	SI	DOU	GO	BENN	TATU	WO

賜	り	ま	す	よ	う	、	お	願	い	申	し	上	げ	ま	す	。
TAMA WA	RI	MA	SU	YO	U	,	O	NEGA	I	MOU	SI	A	GE	MA	SU	.

練習問題

難易度 ★★★☆☆

①上記の語句をそれぞれ3回ずつ入力しましょう。（2分間でクリア）

②次の語句を入力しましょう。（2分間でクリア）

> 皆様のご健勝とご多幸を心からお祈り致します。
> 本年もどうぞよろしくお願い申し上げます。

03

冠婚葬祭のトレーニング

キーワード
冠婚葬祭

結婚式の招待状や葬式の弔電などを、パソコンで作成する機会も増えてきています。

トレーニング6日目の最後は、冠婚葬祭でよく使われる言葉を練習します。一般常識ですので、読めない漢字や意味のわからない言葉があるときは、調べておきましょう。

冠婚葬祭に関する用語を使ったタッチタイピングトレーニングです。指がスムーズに動くまで、何度も繰り返し練習しましょう。また、特定の文字で打ち間違える場合は、その語句の入力が確実にできるまで頑張りましょう。

また、招待状や礼状などを書くときは、その文書に応じたマナーがありますので、注意しましょう。

MEMO ここで冠婚葬祭の一般常識も覚えておきましょう。

冠婚葬祭用語のトレーニング

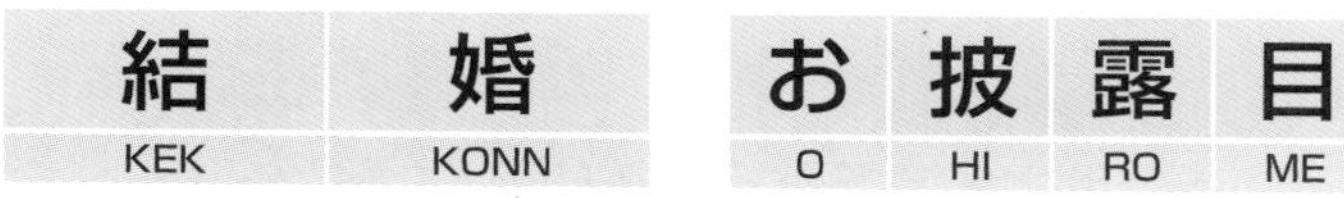

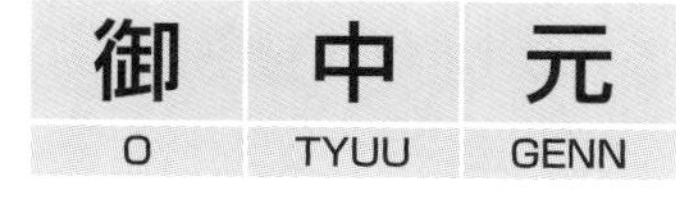

寸	志
SUNN	SI

練習問題

難易度 ★★★☆☆

①上記の語句をそれぞれ3回ずつ入力しましょう。（3分間でクリア）

②次の語句を入力しましょう。（2分間でクリア）

> 日頃は公私にわたり温かい指導をいただき、心より感謝いたしております。ささやかですが、お中元のしるしをお贈りしました。どうぞお納めください。

タッチタイピング腕だめし 6

次の文章を制限時間内に入力し終えれば、タッチタイピング練習の６日目はクリアです。残り１日では、さらに実践力を身に付けてください。

制限時間
５分

謹	ん	で	新	春	の	お	慶	び	を	申	し	上	げ	ま	す	。
TUTUSI	NN	DE	SINN	SYUNN	NO	O	YOROKO	BI	WO	MOU	SI	A	GE	MA	SU	.

本	年	も	よ	ろ	し	く	お	願	い	申	し	上	げ	ま	す	。
HONN	NENN	MO	YO	RO	SI	KU	O	NEGA	I	MOU	SI	A	GE	MA	SU	.

み	な	さ	ん	の	日	頃	の	努	力	の	か	い	あ	って	、
MI	NA	SA	NN	NO	HI	GORO	NO	DO	RYOKU	NO	KA	I	A	TTE	,

新	製	品	の	ヒ	ット	に	つ	な	が	り	ま	し	た	。
SINN	SEI	HINN	NO	HI	TTO	NI	TU	NA	GA	RI	MA	SI	TA	.

こ	の	た	び	は	、	弊	社	製	品	を	ご	注	文	い	た	だ	き
KO	NO	TA	BI	HA	,	HEI	SYA	SEI	HINN	WO	GO	TYUU	MONN	I	TA	DA	KI

ま	こ	と	に	あ	り	が	と	う	ご	ざ	い	ま	し	た	。
MA	KO	TO	NI	A	RI	GA	TO	U	GO	ZA	I	MA	SI	TA	.

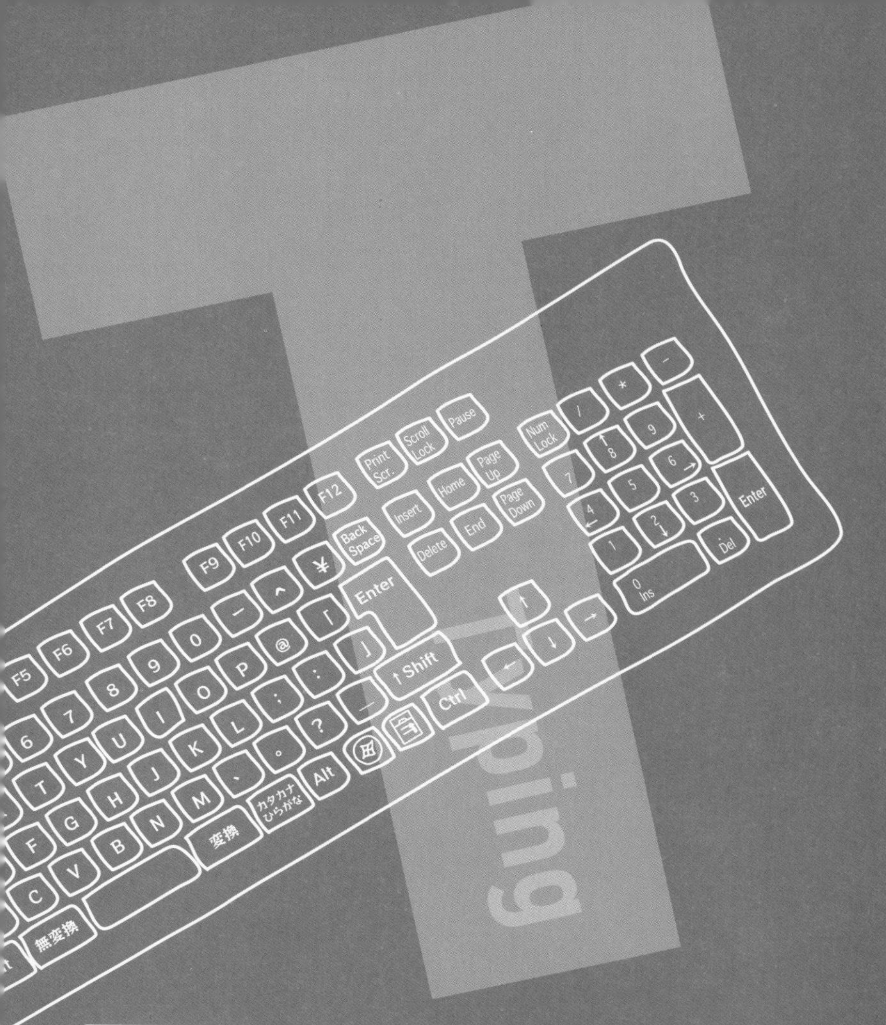

第10章

実践タッチタイピング
1週間でマスター[7日目]

慣用句で最後のトレーニング

キーワード
慣用句

7日目。本章は最後の仕上げです。それでは、慣用句によるトレーニングにかかりましょう。

慣用句は、トレーニングにはちょうどいい文字量です。何度も繰り返して入力するうちに、どの指が動いていないのか、どのキーが不得意なのかを意識してください。左手の薬指で押さなければならないキーを、他の指で押していませんか。また、右手の小指で「ー」や「・」を入力するときに、隣のキーを押してしまいませんか。不得意なキーがわかったら、そこを重点的に練習してください。

「千里の道も一歩から」「習うより慣れろ」「ローマは1日にしてならず」の心意気です。「下手な鉄砲も数打ちゃ当たる」ともいいますが…。

MEMO 知っている慣用句なら、キーボードを頭に想い描いてトレーニングしてみましょう。

慣用句でトレーニング

ロ	ー	マ	は	1	日	に	し	て	な	ら	ず
RO	-	MA	HA	1	NITI	NI	SI	TE	NA	RA	ZU

少	年	老	い	や	す	く	学	な	り	が	た	し
SYOU	NENN	O	I	YA	SU	KU	GAKU	NA	RI	GA	TA	SI

井	の	中	の	蛙	大	海	を	知	ら	ず
I	NO	NAKA	NO	KAWAZU	TAI	KAI	WO	SI	RA	ZU

明	日	は	明	日	の	風	が	吹	く
A	SITA	HA	A	SITA	NO	KAZE	GA	HU	KU

待	て	ば	海	路	の	日	和	あ	り
MA	TE	BA	KAI	RO	NO	HI	YORI	A	RI

練習問題

難易度 ★★★★☆

①上記の語句をそれぞれ3回ずつ入力しましょう。(3分間でクリア)

②次の語句を入力します。(2分間でクリア)

タッチタイピングへの道もホームポジションから。
ローマ字は１日にしてならず。
ファイト！一発変換！！

Typing

02 メールの文章入力でトレーニングの成果を見る

キーワード
メール

メールの文章は送る相手によって大きく変わります。例えば、ビジネスで使う場合と仲のよい友人では、文章内容が非常に変わります。ここでは、主にビジネスで使うメールの型を学びます。報告書などを書く上で5W1Hといわれますが、メールにおいても同じです。

まず1行目に、会社名と相手の名前をフルネームで「様」を付けます。**会社名のあとに名前がくる場合は、一般に「御中」は付けません。**それから、改行を2回して自分が所属する正式会社名と名前を書きます。次に挨拶を入力します。「お世話になっております」などが一般的です（2回目以降は挨拶文のあとに名前を入力します）。そして用件です。最後に結びを書いて署名します。

MEMO
5W1Hとは、**W**hat（目的）、**W**hen（時間）、**W**here（場所）、**W**hy（理由）、**W**ho（人物）、**H**ow（どのように）の略です。

メールの文章のトレーニング

●メールの文章例

グッドタイピング株式会社　鈴木　葵　様 ―― 1行目は宛先を入力する

いつもお世話になっております。
アンカー・プロ開発部の佐藤大翔です。 ―― 改行して、挨拶と自分の所属先と名前を入力する

先日は、異業種交流会で偶然お会いして、びっくりしました。 ―― 用件の前に、一文添えると丁寧な印象になる

さて、今回は、スマートフォン用の新しいアプリのデザインをお願いできないかと思いましてメールしました。
内容はいまだ明かせませんが、前作と同じように若い女子向きのファッション系アプリです。
お会いしてから、今後のスケジュールを含め、
企画の詳細をご説明させていただきます。 ―― 用件を簡潔に入力する

それでは、近日中にお電話をさせていただきます。
その際には、よろしくお願いいたします。 ―― 結びを入力する

〜〜〜
株式会社　アンカー・プロ　開発部　佐藤大翔
〒000-0000
東京都中央区築地0丁目0番地　TKビル28F
電　話：03-0000-0000　FAX：03-0000-0000
Mail：hiroto.sato@kaisha.jp

―― 署名を入力する
名前・住所・電話番号・メールアドレス・ホームページなど

練習問題　難易度 ★★★★☆

①次の文章を3回ずつ入力しましょう。(3分間でクリア)

自分の住所、自分が働く会社名とその所属先

総仕上げ練習問題

練習問題

難易度 ★★★★☆

①次のローマ字を入力しましょう。(3分間でクリア)

SINNKANNSENN　YUUBINNKYOKU
MITUMORISYO　HYOUKA　KOKKAI
SENNKYO　ROUDOU　KAIKAKU
YOSANN　HENNSYUU　KABUNUSI
KINOUTEKI　MANA-　SYOUHINN
BYOUDOU　JISSENN　KESSANN
SINNBUNN　AISATU　TYUUDANN

②次の慣用句を入力しましょう。(3分間でクリア)

高嶺の花	TAKANENOHANA
肝に銘ずる	KIMONIMEIZURU
先見の明	SENNKENNNOMEI
的を射る	MATOWOIRU
身も蓋もない	MIMOHUTAMONAI
意に介する	INIKAISURU
寝た子を起こす	NETAKOWOOKOSU
同病相憐む	DOUBYOUAIAWAREMU

③次の慣用句を入力しましょう。（3分間でクリア）

足をすくう	ASIWOSUKUU
匙を投げる	SAJIWONAGERU
腹が黒い	HARAGAKUROI
頭痛の種	ZUTUUNOTANE
岡目八目	OKAMEHATIMOKU
蛇の道は蛇	JANOMITIHAHEBI
がさを入れる	GASAWOIRERU

練習問題 難易度 ★★★★★

④次の慣用句を入力しましょう。（3分間でクリア）

異彩を放つ	ISAIWOHANATU
腕が利く	UDEGAKIKU
金の卵	KINNNOTAMAGO
辛酸をなめる	SINNSANNWONAMERU
口裏を合わせる	KUTIURAWOAWASERU
弱り目にたたり目	YOWARIMENITATARIME
頭角を現す	TOUKAKUWOARAWASU
粒が揃う	TUBUGASOROU
非の打ち所がない	HINOUTIDOKOROGANAI

⑤次の諺を入力しましょう。(5分間でクリア)

いぬもあるけばぼうにあたる	犬も歩けば棒に当たる
たんきはそんき	短気は損気
はやおきはさんもんのとく	早起きは三文の徳
とらのいをかるきつね	虎の威を借る狐
ながいものにはまかれろ	長いものには巻かれろ
ねこにこばん	猫に小判
のうあるたかはつめをかくす	能ある鷹は爪を隠す
けがのこうみょう	怪我の巧名
でるくいはうたれる	出る杭は打たれる
やなぎにゆきおれなし	柳に雪折れなし
いしばしをたたいてわたる	石橋を叩いて渡る
うまのみみにねんぶつ	馬の耳に念仏
はなよりだんご	花より団子
いそがばまわれ	急がば回れ
いしのうえにもさんねん	石の上にも三年
ときはかねなり	時は金なり
ふくすいぼんにかえらず	覆水盆に返らず
きゅうそねこをかむ	窮鼠猫を噛む
がしんしょうたん	臥薪嘗胆
ひょうたんからこま	瓢箪から駒
がりゅうてんせい	画龍点睛

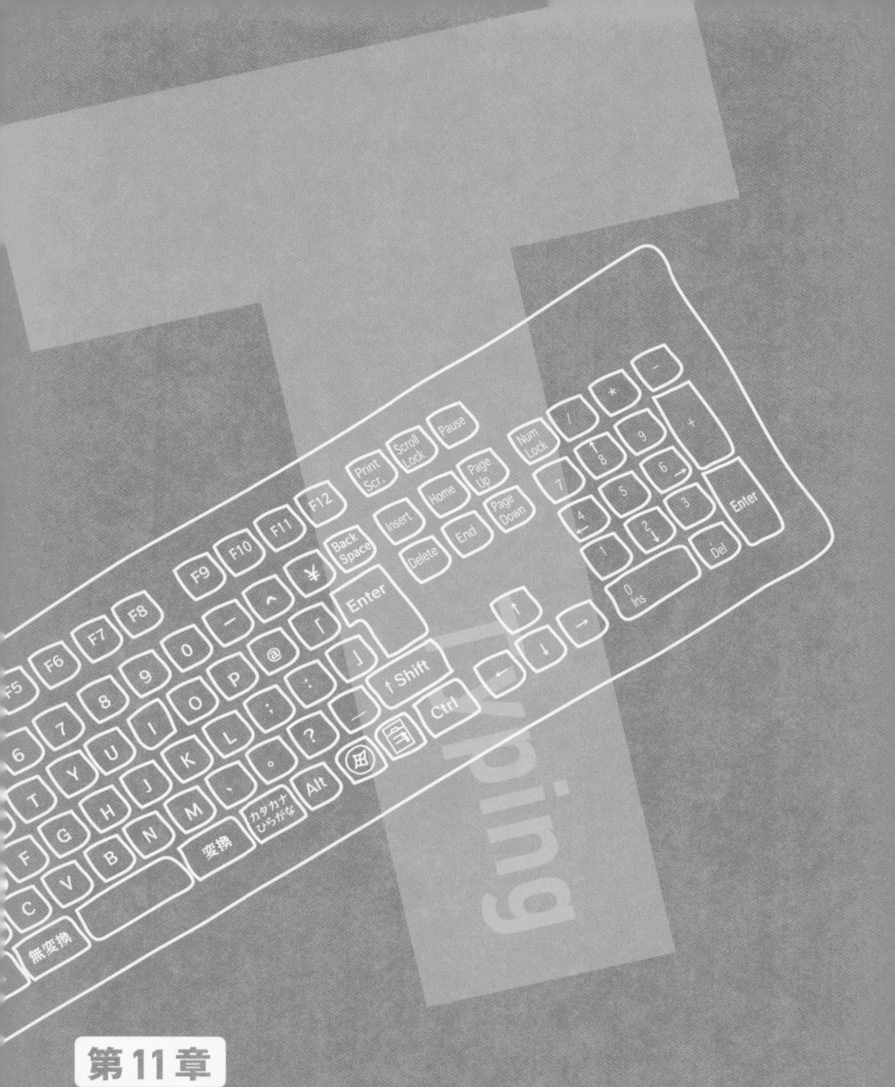

第11章

タブレット＆スマホユーザー限定　特別トレーニング

Typing

01 タブレットの画面キーボードで文章入力

キーワード
Windowsタブレット
Androidタブレット

コンピュータのキーボードを使わずに、画面のタッチ操作で文字入力を行う情報機器端末が増えています。スマホよりも大きな画面サイズの、WindowsタブレットやAndroidタブレット（Nexusシリーズなど）、iPadなどの画面では、**ソフト的にコンピュータのキーボードと同じボタン配列を再現したフルキーボードを使って文字入力ができます。**

タブレットの画面キーボードのタップでは、画面に表示されるボタンが小さかったり、ボタン間隔が近かったりして入力しづらいかもしれません。入力ミスを減らす意味からも、できるだけキーボードを大きく表示したいものです。そのためには、画面を横長にしましょう。**画面方向のロック（固定）を外し、本体を横にします。**文字入力のスピードを上げるには、コンピュータのタッチタイピングと同じように練習あるのみです。

MEMO
タブレットもフリック入力が可能ですが、画面が広いので、フルキーボードを使った方が効率は良いでしょう。

タブレットコンピュータのトレーニング

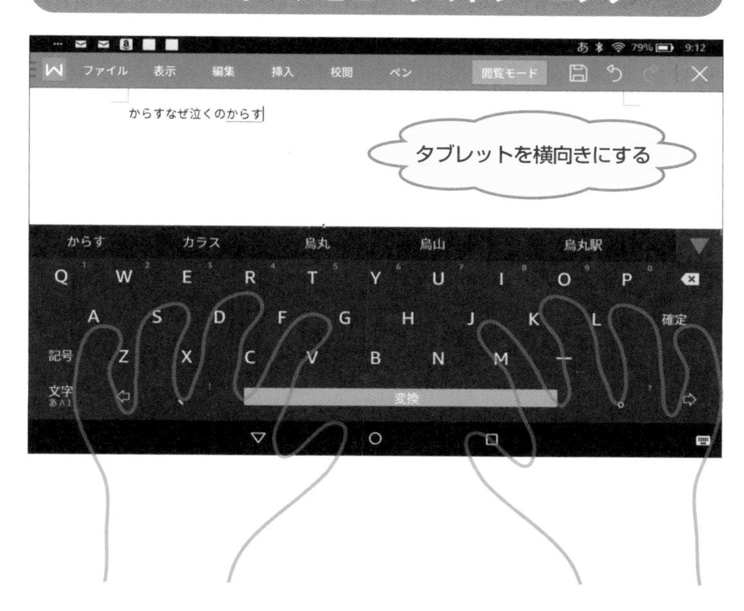

練習問題

難易度 ★★★☆☆

①次の歌詞（七つの子）をタブレットのフルキーボードを使って入力しましょう。（2分間でクリア）

カラスなぜなくのカラスは山に可愛い七つの子があるからよ
可愛い可愛いとカラスはなくの可愛い可愛いとなくんだよ
山の古巣に行って見てごらん丸い目をしたいい子だよ

Typing

スマホのフリック入力

キーワード
スマートフォン
フリック入力

画面の小さなスマホ（スマートフォン）では、コンピュータのようにフルキーボードで入力するのは思っているより大変です。10本指打法は不可能で、一般には持ち手の親指、または空いている手の指一本で行う人が多いようです。

スマホの特性を活かした文字入力方式として、**旧型のケータイ電話で行われていた文字入力方式を画面タッチで行えるようにした「日本語テンキー入力」があります。**例えば、「す」を入力するには「さ」ボタンを3回タップする（「さ」➡「し」➡「す」）という方式です。

そして、これをさらに進化させた**「フリック入力」もできます。**「さ」ボタンを上方向にフリック（はじく）すると、「す」が入力されます。タップするのに比べて操作回数が少なくて済みます。

MEMO 「あ」の段はボタンをタップ、「い」段は左、「う」段は上、「え」段は右、「お」段は下、と右回りにフリックします。

スマホのタッチスタイル

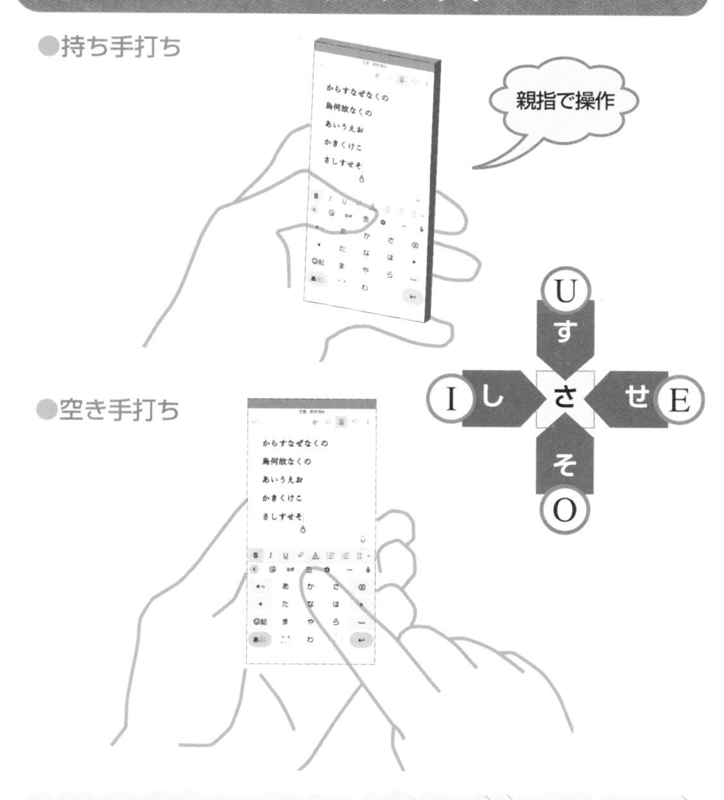

練習問題

難易度 ★★☆☆☆

テンキーでフリック入力しましょう。

①「あ」の段（「あかさたなはまやらわ」確定、改行）を5回入力しましょう。（30秒でクリア）

②と同様に「い」の段、「う」の段、「え」の段、「お」の段をそれぞれ5回ずつ入力しましょう。（各段30秒でクリア）

Typing

03

フリック入力で濁音や半濁音を入力する

キーワード
フリック入力

スマホのフリック入力では、ワンタップまたはフリック操作で「かな」の五十音すべてを入力できます。これはローマ字入力で日本語入力をするのに比べて高速に文字入力が可能です。

ただし、フリック入力で濁音、半濁音、拗音をする場合は、ワンタッチでは済みません。**かな文字を入力した直後に、テンキー配列の左下の濁点や半濁点の付いているボタン（「濁点／半濁点」ボタン）をタップします。**例えば、「ず」を入力するには、「す」を入力してから「濁点／半濁点」ボタンをタップします。「ぷ」を入力するには、「ふ」を入力してから「濁点／半濁点」ボタンを2回タップします。

「濁点／半濁点」ボタンは、拗音の入力にも使用します。例えば、「ゅ」は「ゆ」の入力後に「濁点／半濁点」ボタンをタップすることで、変換されます。

MEMO 「あ」行のかなの入力後に「濁点／半濁点」ボタンをタップすると、小さな文字の「ぁぃぅぇぉ」に変換されます。

濁音／半濁音／拗音の入力

●フリック入力トレーニング1「ぴょ」

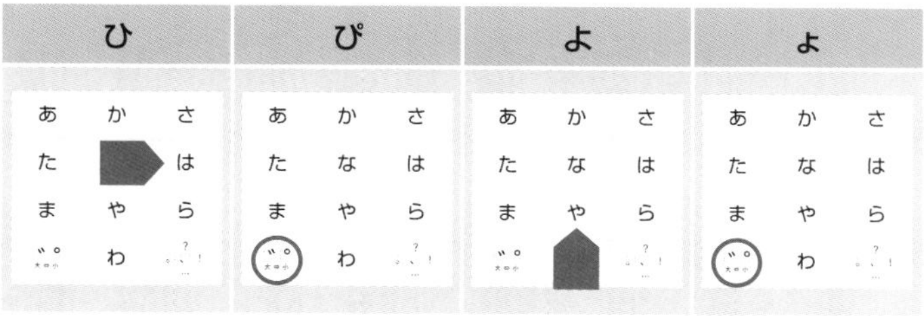

ひ	ぴ	よ	ょ
あ か さ た ▶ は ま や ら ゛゜大⇔小 わ 、。?!	あ か さ た な は ま や ら (゛゜大⇔小) わ 、。?!	あ か さ た な は ま や ら ゛゜大⇔小 ▲ 、。?!	あ か さ た な は ま や ら (゛゜大⇔小) わ 、。?!

●フリック入力トレーニング2「ぴっ」

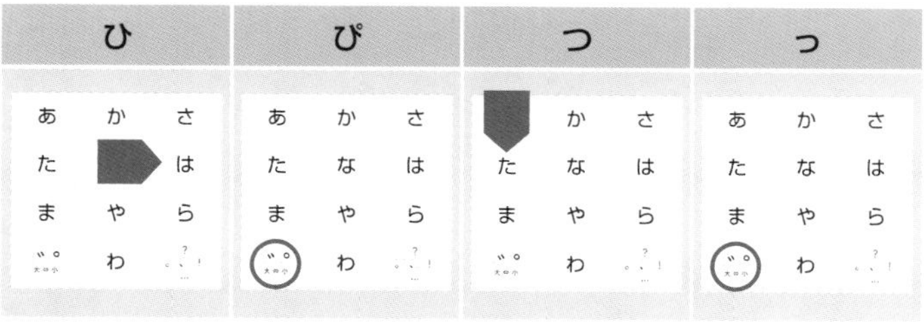

ひ	ぴ	つ	っ
あ か さ た ▶ は ま や ら ゛゜大⇔小 わ 、。?!	あ か さ た な は ま や ら (゛゜大⇔小) わ 、。?!	▼ か さ た な は ま や ら ゛゜大⇔小 わ 、。?!	あ か さ た な は ま や ら (゛゜大⇔小) わ 、。?!

▶フリック　○タップ

練習問題

難易度★★★☆☆

①上のかなを入力しましょう。（両方を10秒でクリア）
②次のかなを入力しましょう。（3分でクリア）

じゃぱん　きゅうしゅう　りっぱな　ぎゅうにゅう
ひょうたん　じゅうたん　かっぱに　しゅうまい
でっぱり　むっちり　びゅーてぃふる
ぞっこん　そっと　てぃーかっぷ

Typing

04

スマホで予測変換して入力する

キーワード
予測変換

スマホでは、できるだけ少ないキータッチで文章を作成することをプログラムが手助けする「予測変換」の仕組みが一般的です。例えば、「あ」と読みを入力しただけで、変換候補として「明日」「相手」などが候補の上位に表示されます。

さらに、辞書の学習機能によって、確定した単語やフレーズに続く語句も予測されて候補に表示されます。例えば、「本日は誠にありがとうございました。」という入力を辞書が学習すると、「ほ」と読みを入力しただけで、「本日」と変換候補に表示され、これをタップすると次は「は」。続いて「誠にありがとう」などと入力を手助けしてくれます。

MEMO　PCで予測変換を利用するには本文82ページのColumnを参照してください。

予測変換を使って日本語入力する

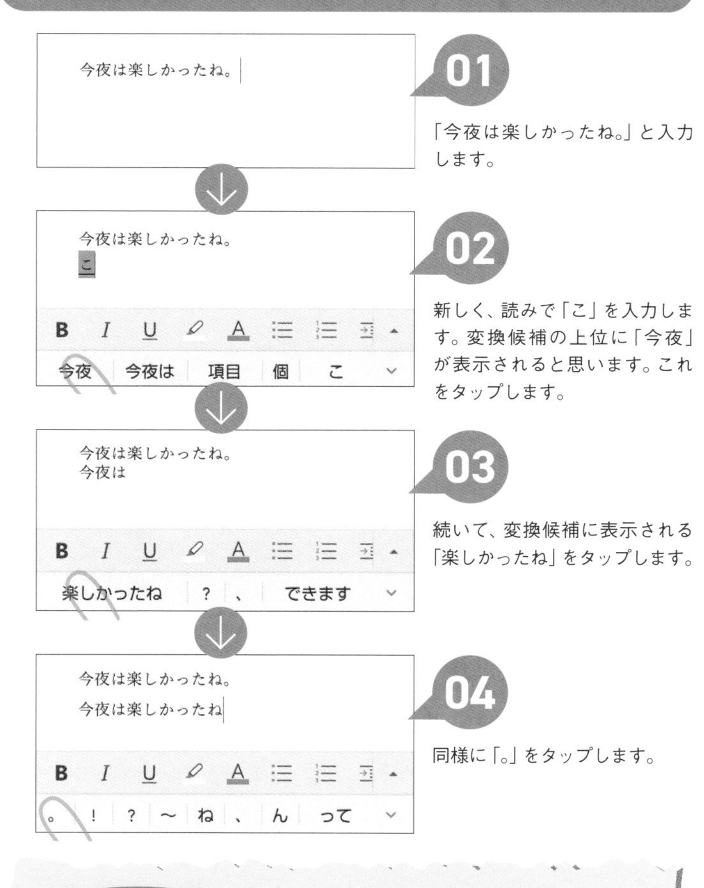

01「今夜は楽しかったね。」と入力します。

02 新しく、読みで「こ」を入力します。変換候補の上位に「今夜」が表示されると思います。これをタップします。

03 続いて、変換候補に表示される「楽しかったね」をタップします。

04 同様に「。」をタップします。

練習問題

難易度 ★★★☆☆

①予測変換を使って次の文書を入力しましょう。（5秒でクリア）

今夜はきっと素晴らしい。

COLUMN ● フリック入力練習用アプリ

スマホのフリック入力を練習するためのアプリです。楽しく練習できる無料のアプリ（内部課金あり）をいくつか紹介しましょう。iPhone用アプリはApp Storeから、Android用アプリはGoogle Playストアから、アプリ名で検索してインストールしてください。

タイピングの神様
製作者 Toshihiko Arai

フリック入力練習アプリの定番。入力画面はとてもシンプルでわかりやすい。スコアに応じて日本の神々が降臨！

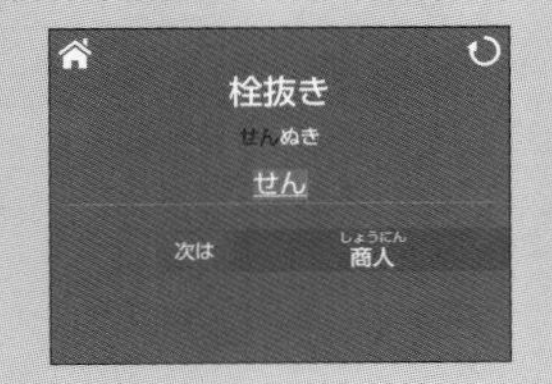

恵子の入力練習
製作者 Kaneta

シンプルな画面構成なので、フリック入力の上達に専念できるでしょう。入力スピードよりも正確な入力練習に適している。

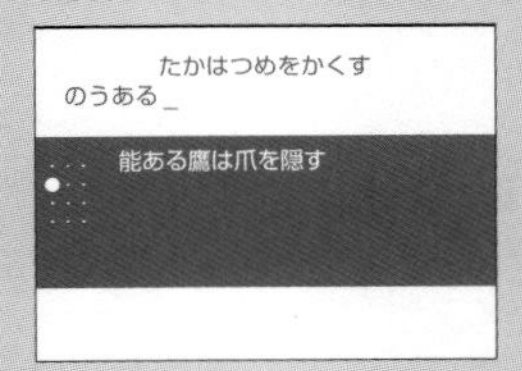

my Typing
製作者 Round Function Inc.

フリック入力ゲームでタイピング練習ができるアプリ。専用サイト（https://typing.twi1.me）でログインすれば、自分でタイピングゲームも作れる。

タイピング練習 ～日本の名所～
製作者 UNI-TY INC.

日本各地の観光地の写真が表示され、その場所の読みを入力する。社会勉強もできる一石二鳥のアプリ。

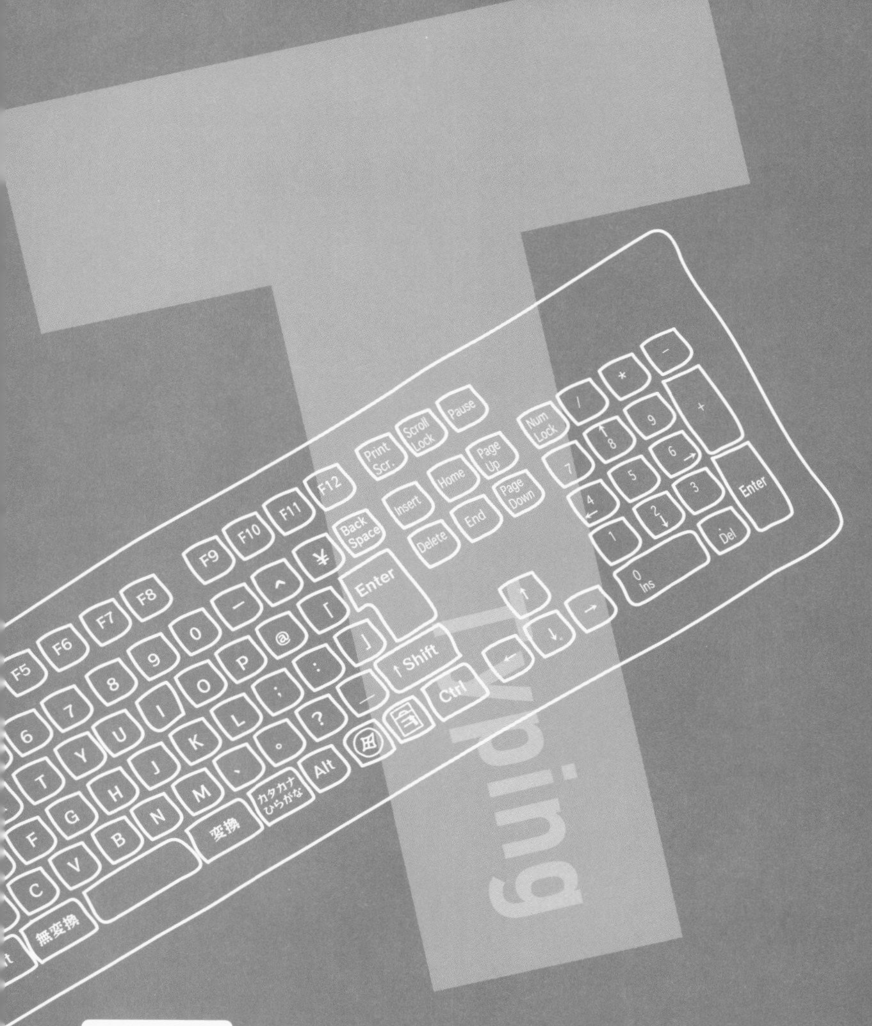

資料

ローマ字・かな表記表／タイピングソフトの紹介

ローマ字・かな表記表

あ	A	い	I	う	U	え	E	お	O
か	KA	き	KI	く	KU	け	KE	こ	KO
	(CA)				(CU)				(CO)
さ	SA	し	SI	す	SU	せ	SE	そ	SO
			(CI)				(CE)		
			SHI						
た	TA	ち	TI	つ	TU	て	TE	と	TO
			CHI		TSU				
な	NA	に	NI	ぬ	NU	ね	NE	の	NO
は	HA	ひ	HI	ふ	HU	へ	HE	ほ	HO
					FU				
ま	MA	み	MI	む	MU	め	ME	も	MO
や	YA			ゆ	YU			よ	YO
ら	RA	り	RI	る	RU	れ	RE	ろ	RO
わ	WA							を	WO
ん	NN								
が	GA	ぎ	GI	ぐ	GU	げ	GE	ご	GO
ざ	ZA	じ	ZI	ず	ZU	ぜ	ZE	ぞ	ZO
			JI						
だ	DA	ぢ	DI	づ	DU	で	DE	ど	DO
ば	BA	び	BI	ぶ	BU	べ	BE	ぼ	BO
ぱ	PA	ぴ	PI	ぷ	PU	ぺ	PE	ぽ	PO
ぁ	XA	ぃ	XI	ぅ	XU	ぇ	XE	ぉ	XO
	LA		LI		LU		LE		LO
				っ	XTU				
					LTU				
ゃ	XYA			ゅ	XYU			ょ	XYO
	LYA				LYU				LYO
ヵ	(XKA)					ヶ	(XKE)		
	(LKA)						(LKE)		

				いぇ	YE				
うぁ	(WHA)	うぃ	(WHI)			うぇ	(WHE)	うぉ	(WHO)
			WI				WE		
ヴぁ*	VA	ヴぃ*	VI	ヴ*	VU	ヴぇ*	VE	ヴょ*	VO
ヴゃ*	(VYA)			ヴゅ*	(VYU)			ヴょ*	(VYO)
きゃ	KYA	きぃ	KYI	きゅ	KYU	きぇ	KYE	きょ	KYO
ぎゃ	GYA	ぎぃ	GYI	ぎゅ	GYU	ぎぇ	GYE	ぎょ	GYO
くぁ	(QWA)	くぃ	(QWI)	くぅ	(GWU)	くぇ	(QWE)	くぉ	(QWO)
	(QA)		(QI)				(QE)		(QO)
	KWA								
ぐぁ	GWA	ぐぃ	(GWI)	ぐぅ	(GWU)	ぐぇ	(GWE)	ぐぉ	(GWO)
くゃ	(GYA)			くゅ	(QYU)			くょ	(QYO)
しゃ	SYA	しぃ	SYI	しゅ	SYU	しぇ	SYE	しょ	SYO
	SHA				SHU		SHE		SHO
じゃ	ZYA	じぃ	ZYI	じゅ	ZYU	じぇ	ZYE	じょ	ZYO
	JYA		JYI		JYU		JYE		JYO
	JA				JU		JE		JO
すぁ	(SWA)	すぃ	(SWI)	すぅ	(SWU)	すぇ	(SWE)	すぉ	(SWO)
ちゃ	TYA	ちぃ	TYI	ちゅ	TYU	ちぇ	TYE	ちょ	TYO
	CYA		CYI		CYU		CYE		CYO
	CHA				CHU		CHE		CHO
ぢゃ	DYA	ぢぃ	DYI	ぢゅ	DYU	ぢぇ	DYE	ぢょ	DYO
つぁ	TSA	つぃ	TSI			つぇ	TSE	つぉ	TSO
てゃ	THA	てぃ	THI	てゅ	THU	てぇ	THE	てょ	THO
でゃ	DHA	でぃ	DHI	でゅ	DHU	でぇ	DHE	でょ	DHO
とぁ	(TWA)	とぃ	(TWI)	とぅ	(TWU)	とぇ	(TWE)	とぉ	(TWO)
どぁ	(DWA)	どぃ	(DWI)	どぅ	(DWU)	どぇ	(DWE)	どぉ	(DWO)
にゃ	NYA	にぃ	NYI	にゅ	NYU	にぇ	NYE	にょ	NYO
ひゃ	HYA	ひぃ	HYI	ひゅ	HYU	ひぇ	HYE	ひょ	HYO
ふぁ	FA	ふぃ	FI	ふぅ	FWU	ふぇ	FE	ふぉ	FO
ふゃ	FYA			ふゅ	FYU			ふょ	FYO
びゃ	BYA	びぃ	BYI	びゅ	BYU	びぇ	BYE	びょ	BYO
ぴゃ	PYA	ぴぃ	PYI	ぴゅ	PYU	ぴぇ	PYE	ぴょ	PYO
みゃ	MYA	みぃ	MYI	みゅ	MYU	みぇ	MYE	みょ	MYO
りゃ	RYA	りぃ	RYI	りゅ	RYU	りぇ	RYE	りょ	RYO

＊「V」「A」で入力したとき読みは「ヴぁ」と表記される。以下同。

タイピングソフトの紹介

●猫タイピング

（製作者：Unity氏）

猫やうさぎのかわいいイラストと、対話しながらタッチタイピングが進められるソフトです。さらに、メッセージウィンドウの背景画像にもかわいい猫の写真が使われています。猫たちに癒されながら、気づいたらタッチタイピングができるようになっていた、というソフトです。「アチーブメント」（達成）によって、猫の写真が増えるなどの“ご褒美”もうれしい機能です。ホームページやVectorからはWindows版のほか、Mac版も入手できます。

ダウンロードサイト：http://cat-typing.com/
対応OS：Windows 11で動作確認済み

□インストールと起動方法

「猫タイピング」（Windows版）は、Vectorなどからも入手可能ですが、Windows 11ユーザーは、Microsoft Storeからインストールするのがお勧めです。なお、個人使用は無料ですが、学校や企業の場合はライセンス契約が必要です。

▲Microsoft Store

Microsoft Storeを起動して、「猫タイピング」を検索します。猫タイピングのページを表示して、「入手」ボタンをクリックします。

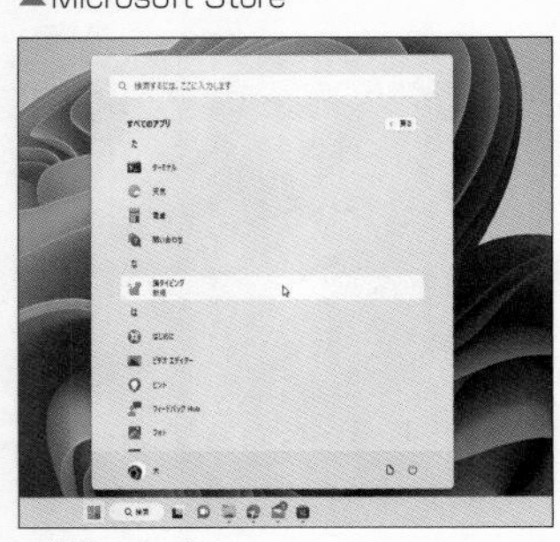

▲スタートメニュー

インストールが終了すると、スタートメニューに「猫タイピング」が登録されます。「猫アプリ」アイコンをクリックすると、ソフトが起動します。

◇タイピング練習

猫やうさぎが、ソフトの操作のほか、タッチタイピングのコツや留意点などを教えてくれます。「テスト」の「ランキング」では、専用のWebページに順位が表示されます。日本中の人と腕比べをしてみてはいかがでしょう。

●チュートリアル

◀チュートリアル

チュートリアルページでは、イラストとの対話形式でタッチタイピングの基礎が勉強できます。

●初級コース

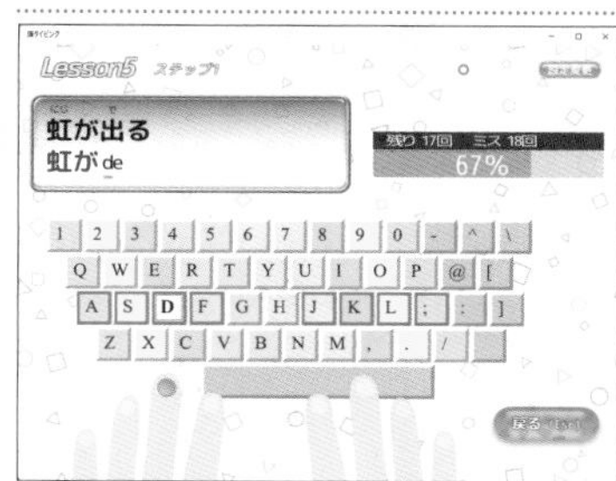

▲初級コース

「初級コース」には、簡単な語句からかな漢字交じりのレッスンが用意されています。「初級コース」は制限時間がありません。正確なタイピングを身に着けられるまで繰り返し練習しましょう。

●結果判定

◀結果判定字

レッスンが終了すると、判定が行われ、ミスタッチの多かったキーも知らせてくれます。

●美佳のタイプトレーナー　（製作者：今村二朗氏）

初心者はもちろんのこと、プロを目指すオペレータも利用しているタッチタイプの練習ソフトで、インターネットからダウンロードして使うことができます（無料）。もともと「美佳のタイプトレーナー」は、学校教育用に作成された経緯があり、中学校、高等学校などの教育現場でも使用されています。

ダウンロードサイト：https://www.asahi-net.or.jp/~bg8j-immr/
対応OS：Windows 11で動作確認済み

□インストールと起動方法

ファイルは圧縮されているので、「lhasa」「lhaca」などの圧縮／解凍ソフトを使って解凍しなければなりません。これらのソフトがインストールさていないコンピュータは、あらかじめインターネットから「+lhaca」をインストールしておいてください。

▲圧縮ソフトを解凍する

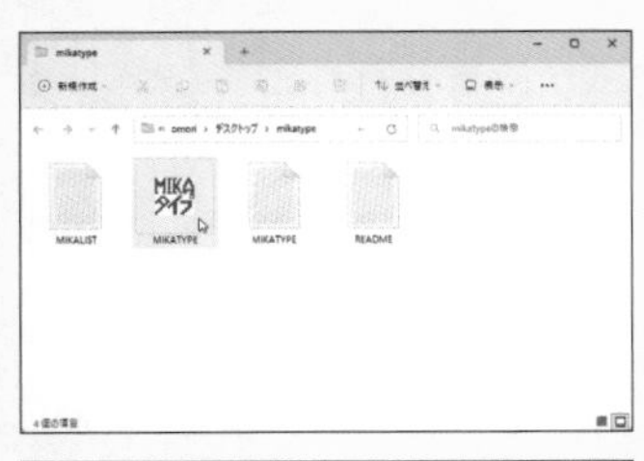

lzhファイルの解凍とインストールは、次のように行います。「mikatype.lzh」を圧縮／解凍ソフトのショートカットアイコンにドラッグ＆ドロップします。すると、所定の場所（デスクトップなど）に解凍されたフォルダが作成されます。

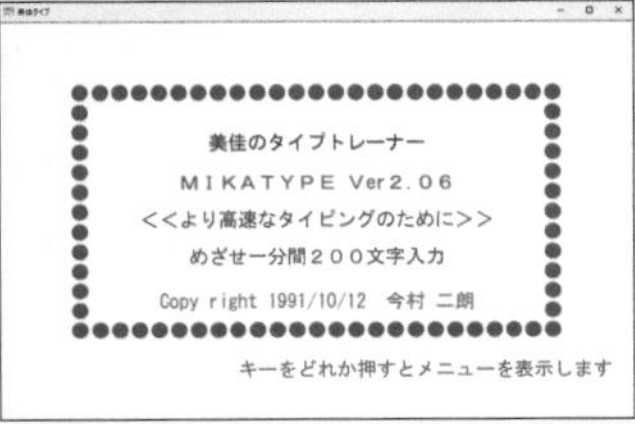

▲美佳のタイプトレーナーを起動する

フォルダを開くと、美佳タイプ関係のファイルを見ることができます。フォルダ内の「MIKATYPE」をダブルクリックすると、美佳のタイプトレーナーが起動します。

◇タイピング練習

起動すると初期メニュー画面が表示されます。古くからあるタイピングソフトで、画面や操作性は製作当時と変わっていません。そのぶんシンプルなので、タイピング練習に打ち込むことができるでしょう。まずは、ポジション練習から始めましょう。なお、練習の成績や時間は、「mikatype」フォルダ内「mikatype.sei」や「mikatype.spd」「mikatype.log」に記録されます（初回起動後に自動的に作成される）。

●ポジション練習

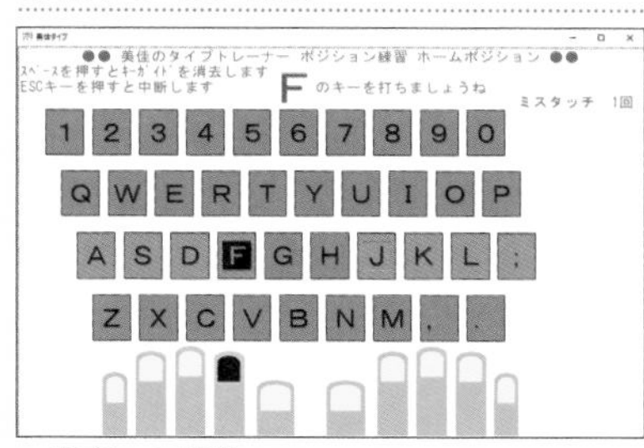

▲ポジション練習

ポジション練習では、画面にキーボード配列（キーガイド）が表示され、押すキーの位置と押すのに使う指が指示されるので、初心者のタッチタイピング練習に適しています。

●ランダム練習

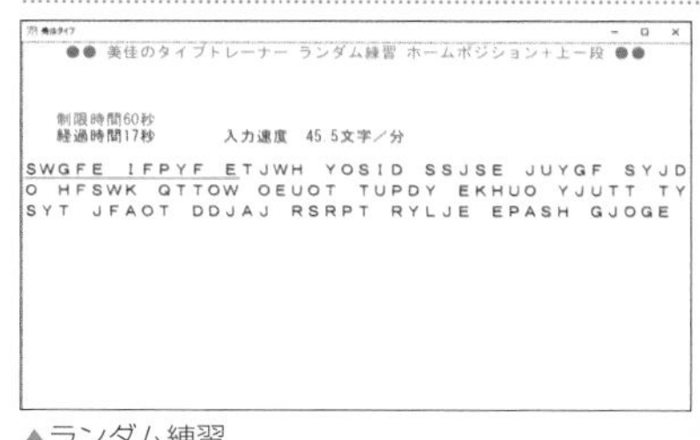

▲ランダム練習

ランダム練習では、表示されるアルファベットの文字列を順に押して、時間を記録します。「ホームポジション」「上一段」「数字」など、キーボードのエリアを分けて練習できます。

●英単語練習

▲英単語練習（基本英単語）

英単語練習には「基本英単語練習」「C言語練習」などのメニューがあります。通常は、「基本英単語練習」だけで十分でしょう。

●喰人王

（製作者：D.IKUSHIMA氏）

大喰いをモチーフにした、ゲーム感覚で楽しめるタイピングソフトです。制限時間以外に体力ゲージもあります。また、必殺技を使うと一瞬で画面内の料理を喰い尽くすこともできます。

すべての料理を完食すると、レシートとして結果を表示してくれます。

『喰人王』を目指して喰いまくりましょう。

ダウンロードサイト：https://mclover.hateblo.jp/SyokuninOu
対応OS：Windows 11で動作確認済み

□インストールと起動方法

ファイルは圧縮されています。ファイルを右クリックして「すべて展開」を選択して、ファイルを解凍します。

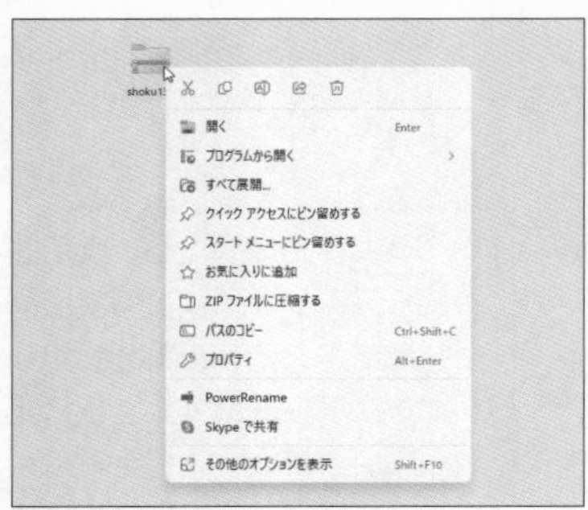

▲圧縮ソフトを解凍（展開）する

解凍されたできたEatフォルダを開いて、「Eat.exe」をダブルクリックすると「喰人王」が起動します。

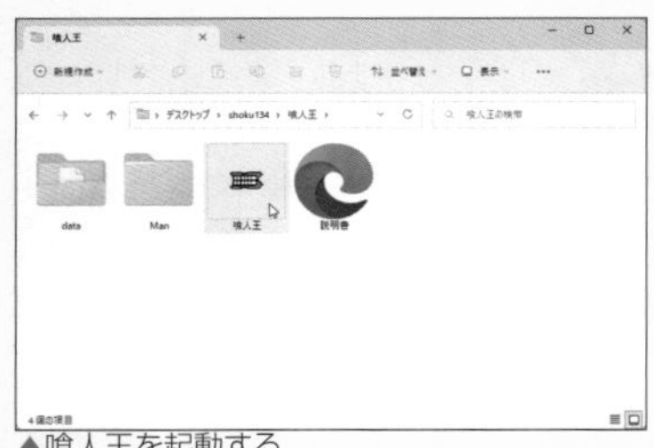

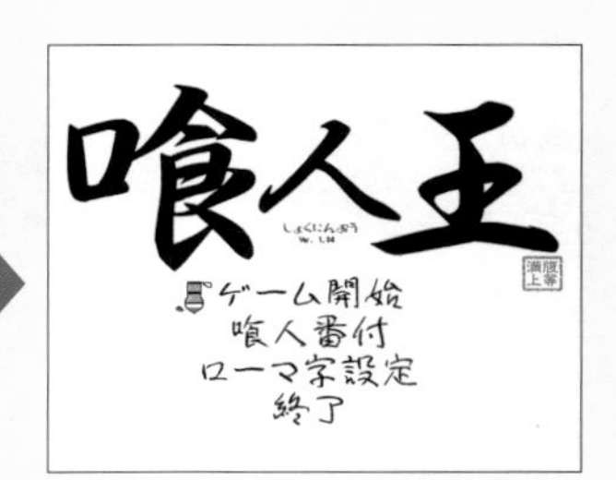

▲喰人王を起動する

◇タイピング練習

全7店のステージがありますが、どの店からでもはじめれられます。料理一品ごとに制限時間があり、時間内に完食できないと、シェフからダメージを受けてしまい、体力がなくなるとゲームオーバーになります。

●ゲーム開始

▲第一の店：中華

単語を入力するごとにお皿の料理を食べていきます（表示される品物名を入力する）。

●喰人番付

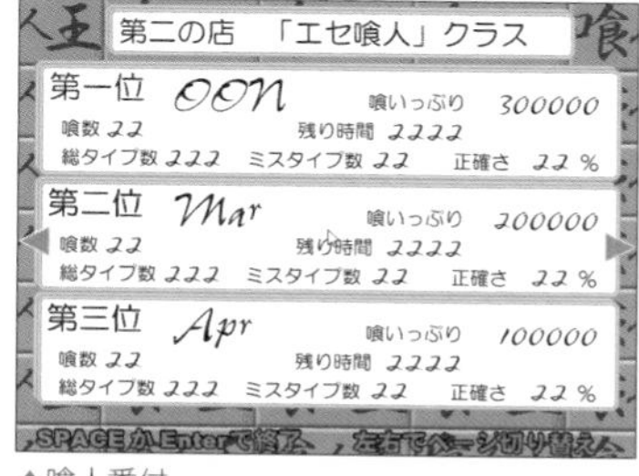

▲喰人番付

ハイスコアランキングです。各店ごとのランキングもあります。矢印キーで移動して、スペースキーで変更できます。

●ローマ字設定

▲ローマ字設定

ヘボン式や訓令式などについて一文字ずつ設定することができます。矢印キーを移動して、スペースキーで変更できます。

●Pleasing タッチタイプ学園 （製作者：Studio STARSPIRITS）

タッチタイピングの練習を「講習」「テスト」など、学園（学校）のタイピング学習を行っている想定で作成されています。このため、生徒（ユーザー）を複数人、登録することができ（最大100人）、その成績を先生（管理者）が見られるようになっています。結果をCSVファイルに変換する機能もあります。Windows 95/XPなどの古いWindowsでも作動することから、変換操作パネルや実行画面、BGMは非常にシンプルに作られています。

なお、このソフトウェアはシェアウェアです。支払いなどについてはダウンロードサイトで確認してください。

ダウンロードサイト：
https://www.vector.co.jp/soft/win95/edu/se126130.html
対応OS：Windows 11で動作確認済み

□インストールと起動方法

Vectorなどから ZIP形式で圧縮されたファイルをダウンロードします。ダウンロードした ZIPファイルを展開（解凍）したフォルダの中にはインストールファイル（「ple_」から始まる実行ファイル）とReadmeファイルができます。実行ファイルを起動すると、インストールが開始します。このとき、ユーザーアカウント制御やダウンロード元を不安視するメッセージが表示されることがあります（内容をよく読んで適切に対処してください。インストールが不安な場合はダウンロードしたファイルをアンチウイルスソフトでスキャンすることを推奨します）。

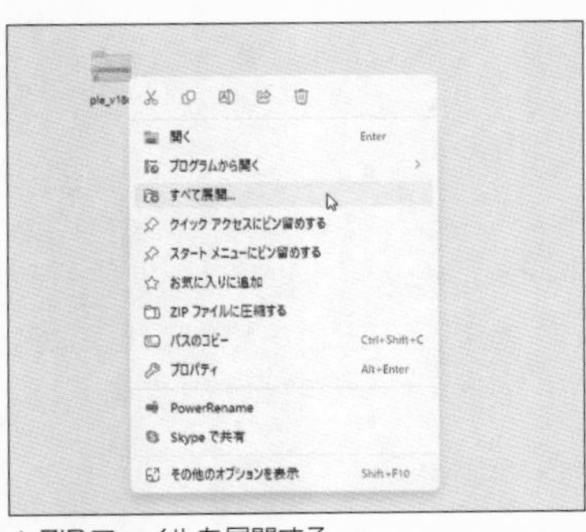

▲ZIPファイルを展開する

ダウンロードしたZIPファイルを右クリックし、「すべて展開」を選択すると、ファイルが展開（解凍）されます。

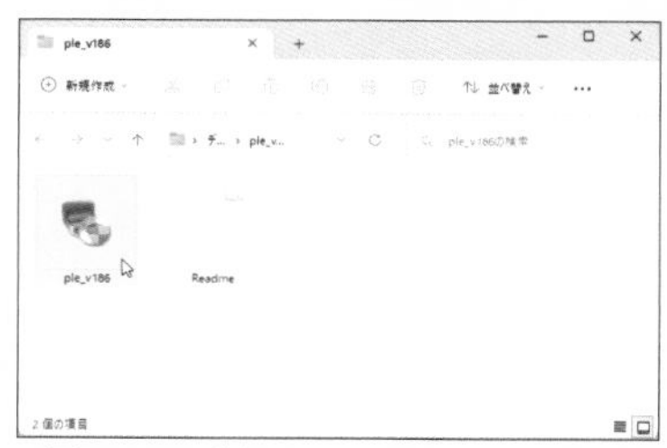

▲展開フォルダ内のインストールファイルを実行する

展開されたフィルダ内のインストールファイルをダブルクリックします。

▲インストールウィザード

インストールウィザードが表示されます。ウィザード途中でモードの選択が求められます。「グレートモード」は受講者（利用ユーザー）の成績をすべて保存するモードです。ウィザードを進めるとインストールが終了します。ソフトを削除するには、ユーティリティーモードにして、アンインストールを実行すると削除方法が表示されます。

◇タイピング練習

「Pleasingタッチタイプ学園」をはじめて使用するときには、管理者（学園オーナー）を指定します（初期設定は「ゲスト様」、パスワード「Gest」）。古いソフトだからか、メニュー表示が現在のようなドロップダウンメニューのようにはなっていません。ボタンをクリックすると、次の画面に移行します。また、ウィンドウ自体に閉じるボタンなどがありません。それだけ、決まった手順で操作をガイドしやすいともいえます。

●ホーム画面

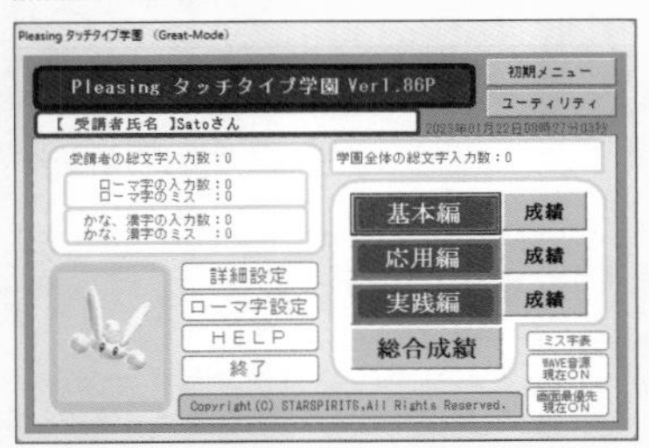

▲ホーム画面

ローマ字設定（例えば、「し」の入力は「shi」なのか「si」なのかなど）を最初にしておくようにしましょう。タッチタイピング練習者は、自分のレベルに応じて「基本編」「応用編」「実践編」と練習を進めます。成績の確認をするときもこの画面で操作します。

●ホームポジションの練習

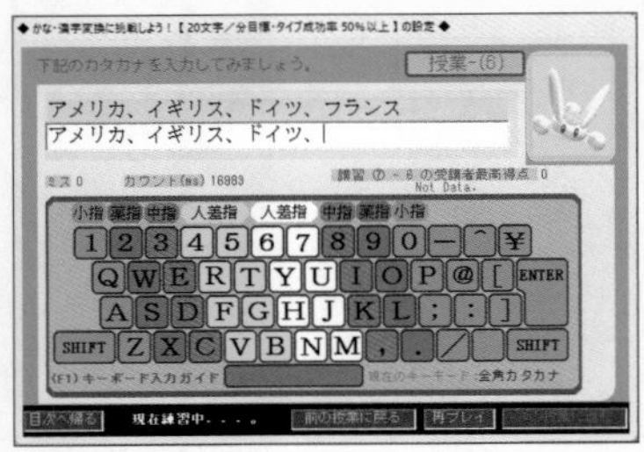

▲基本編

「基本編」（キーボードに慣れよう）と「応用編」では、キー配列と色分けされたホームポジションが表示されます。「基本編」では、短い単語をカンマ（「、」）で区切ったタッチタイピングの練習ができます。

●短い文書の練習

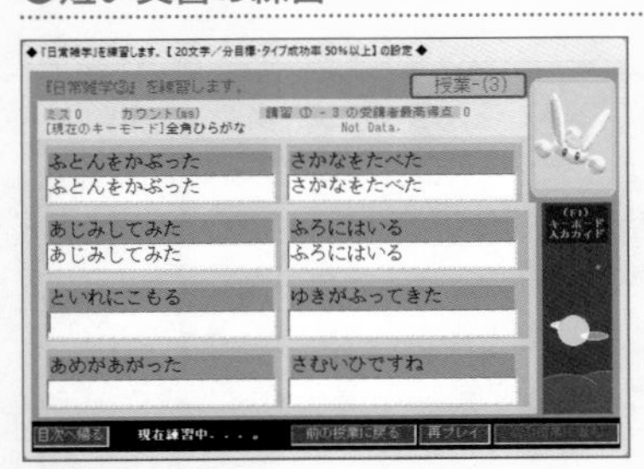

▲実践編

「実践編」は、短い文書を入力する練習です。タイプミスすると文字入力できません。すべて短時間で終了する短い課題です。

●タイピングの練習/ニュースタイピング（製作者：ryo fujise）

Androidタブレット（Amazon Fireタブレットなど）で画面に表示されるキーボードを使ってタッチタイピングを練習するアプリです。リアルタイムにネットに流れているニュースタイトルを題材にして、タイピングの練習をするアプリです。自動で漢字の読みを表示するため、実際の読みとは異なることもあります。同類のアプリに「タイピングの練習/英語ニュースタイピング」があります。iPadおよびiPhone版は、App Storeから入手できます。

ダウンロードサイト：Google Play、アプリストア、App Store
対応OS：Androidで動作確認済み

□インストールと起動方法

Androidタブレットなら Google Play、Amazon Fireタブレットならアプリストア、iPadやiPhoneならApp Storeにアクセスして、「タイピングの練習」を検索します。

▲Google Play

アプリサイトを開いて、「タイピングの練習/ニュースタイピング」「タイピングの練習/英語ニュースタイピング」を検索したら、それらのページの「インストール（App Storeでは、「入手」）」ボタンをクリックします。

▲アプリアイコンをタップ

インストールが完了すると、タブレットの画面にアイコンが表示されます。アイコンをタップすると、アプリが起動します。

◇タイピング練習

「タイピングの練習/ニュースタイピング」を起動すると、まずニュースカテゴリを選択する画面が表示されます。例えば、「トレンド」ボタンをタップすると、リアルタイムでよく検索されているワードのひらがな入力をするといった具合です。

●ニュースカテゴリをタップしてニュースタイトルをタイプする

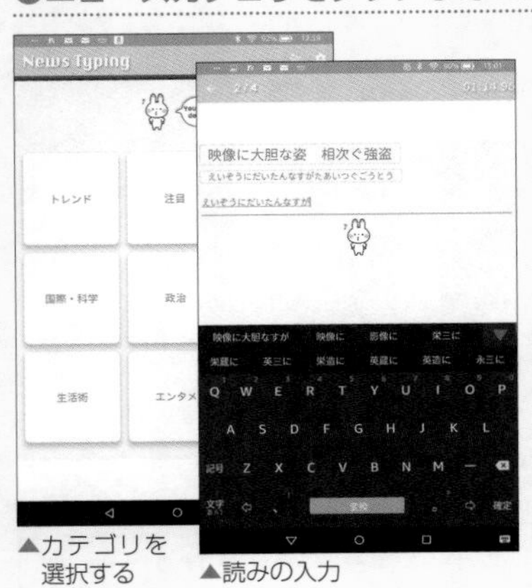

▲カテゴリを選択する　▲読みの入力

読み（青色で表示）をそのまま入力します。入力した読みは赤色で表示されますが、間違った入力でも止まらないこともあります。最後まで打ち込んでも次のニュースタイトルに切り替わらないときには、どこか間違っています。そこまで戻ってやり直してください。

●タイピングの成績を表示する

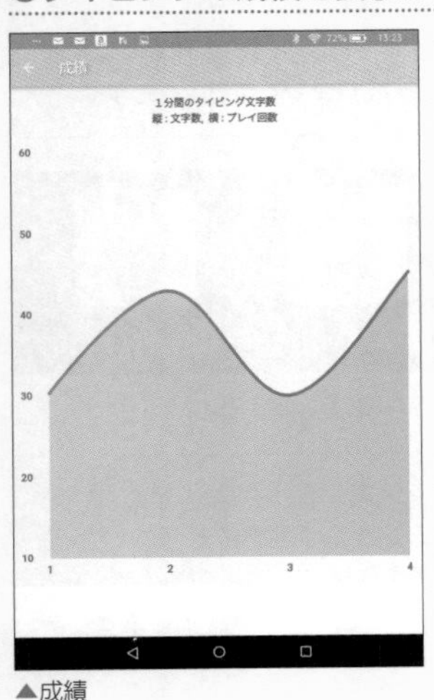

▲成績

最初の画面の「成績」ボタンをタップすると、タッチタイピングの成績がグラフで表示されます。

●Typing Land　（製作者：Unity氏）

「Typing Land」は、PCやMacが手元になくても、AndroidスマホやiPadを使ってタッチタイピングの練習をすることができるアプリです。このアプリは、フリック入力のトレーニングアプリではなく、キーボードのタッチタイピングの練習ソフトです。このため、Bluetoothキーボードなどを接続する必要があります。iPadおよびiPhone版は、App Storeから入手できます。

ダウンロードサイト：Google Play、App Store
対応OS：Androidで動作確認済み

□インストールと起動方法

Androidタブレットなら Google Play、iPadやiPhoneなら App Storeにアクセスして、「Typing Land」を検索します。

▲アプリをインストールする

「Typing Land」を検索し、インストール（App Storeでは「入手」）ボタンをタップします。

インストールが終了すると、アプリアイコンが表示されます。

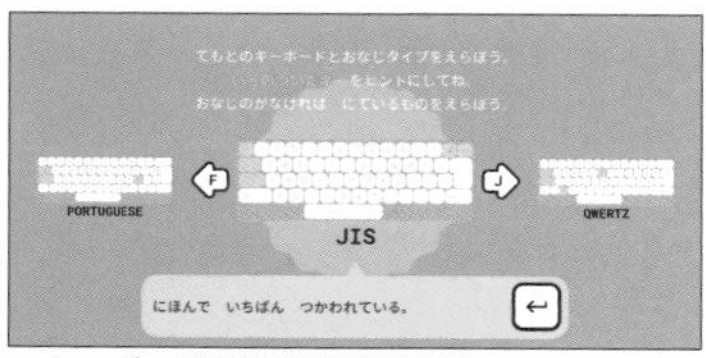

▲キーボードの種類を選択する

初期設定では、接続されているキーボードの種類を選択します。キーボードが接続されていないと、ユーザー名が入力できないので、注意してください。

◇タイピング練習

ユーザー名を入力すると、ワールド1（初心者モード）のタッチタイピングの練習が開始できます。

●ホーム画面

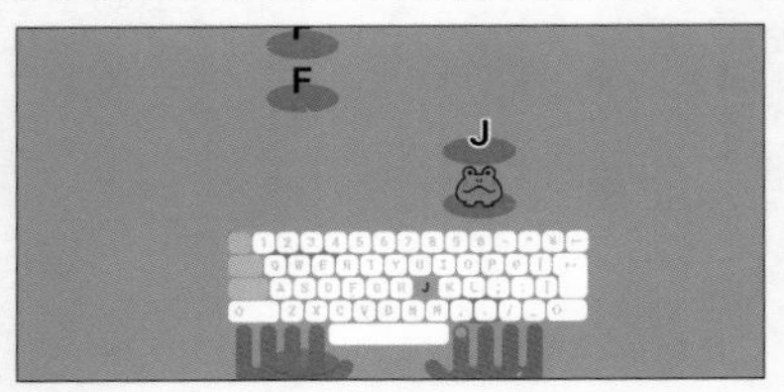

▲ワールド1

最初は、ホームポジションの「F」「J」に置いた左右の人差し指とEnterキーを押す左手の小指、スペースキーを押す親指の練習から始まります。

▲ワールドの選択

タイピング練習のレベルは、ワールドで表示されます。ワールドの内容を確認すると、トレーニングの目標がよくわかります。

▲チャレンジモード

通常のトレーニングは、ワールドを順番に進めますが、少し自信がついたらチャレンジモードで腕試しをしてはどうでしょう。

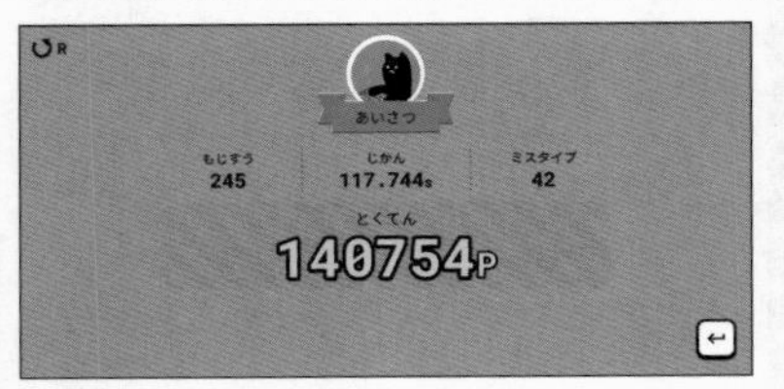

▲得点

タイプ練習が終わると得点が表示されます。

索 引

さ行

あ行

か行

は行

ま行

た行

な行

数字

や行

ら行

わ行

アルファベット

本文イラスト　タナカ　タカヒロ

●バージョン対応

本書で紹介しているアプリは、以下のOSに対応しています。アプリにより対応バージョンは異なりますので、詳細は各アプリの説明をご確認ください。

Windows	11/10/8.x/7/Vista
macOS	13.2～11.0
iPhone (iOS)	16.3～14.1
iPad (iPadOS)	16.3～14.1
Android	13.0～7.0

図解でわかる
最新タイピングが1週間で身につく本
[Windows/macOS/スマホ対応版]

発行日　2023年　4月　1日　第1版第1刷
　　　　2024年　4月15日　第1版第2刷

著　者　佐藤　大翔／アンカー・プロ

発行所　株式会社　秀和システム
〒135-0016
東京都江東区東陽2-4-2　新宮ビル2F
Tel 03-6264-3105（販売）Fax 03-6264-3094

印刷所　三松堂印刷株式会社　Printed in Japan

ISBN978-4-7980-6952-4 C0055